VOIX DE LA TERRE

Sous la direction de
Marie-Andrée Michaud

VOIX DE LA TERRE

FIDES

CRÉDITS PHOTOS

Page 27: Anita Roddick (photo: Brian Moody)
Page 37: Jacques Grand'Maison (photo: Martine Doyon)
Page 47: Stephen Eliot (photo: Jayme Thornton)
Page 59: Jean Monbourquette (photo: Claude Lacasse)
Page 89: Julia Kristeva (photo: Courtoisie Éditions Fayard)
Page 145: David Suzuki (photo: Chick Rice)
Page 156: Jean François Casabonne (photo: André Panneton)
Page 165: Oriahn Mountain Dreamer (photo: Yanka & Yolanda)

Les entretiens réunis dans cet ouvrage sont parus initialement dans le magazine québécois *Guide Ressources* entre les années 2000 et 2002.

Catalogage avant publication de la Bibliothèque nationale du Canada

Vedette principale au titre:

Voix de la terre

ISBN 2-7621-2477-8

1. Vie spirituelle. 2. Personnalités – Entretiens. 3. Personnalités –
Québec (Province) – Entretiens. I. Michaud, Marie-Andrée.

BL624.V65 2003   291.4   C2003-940402-1

Dépôt légal: 2ᵉ trimestre 2003
Bibliothèque nationale du Québec

© Éditions Fides, 2003

Les Éditions Fides remercient de leur soutien financier le ministère du
Patrimoine canadien, le Conseil des Arts du Canada et la Société de
développement des entreprises culturelles du Québec (SODEC).
Les Éditions Fides bénéficient du Programme de crédit d'impôt pour l'édition
de livre du Gouvernement du Québec, géré par la SODEC.

IMPRIMÉ AU CANADA EN AVRIL 2003

Remerciements

À Marie Clark, Rita Cardinal et Alain Delorme, respectivement rédactrice en chef, directrice de publication et éditeur du magazine *Guide Ressources*, qui ont d'abord publié les entrevues de ce recueil et avec qui j'ai la chance de vivre un rapport professionnel fait de confiance, de respect et de liberté créatrice,

À Michel Maillé et Marie-Claude Rioux, respectivement éditeur et éditrice adjointe chez Fides, sans oublier toutes les personnes œuvrant dans cette superbe maison d'édition, chez qui l'enthousiasme, la générosité et la délicatesse de cœur côtoient quotidiennement l'excellence professionnelle,

À toutes les personnes interviewées sans qui ce recueil n'aurait pas vu le jour,

Un énorme MERCI.

*Aux enfants et aux petits-enfants
humains, animaux et végétaux de la Terre*

C'est la Terre que je chante.

HOMÈRE

Pour créer un nouveau paradigme transformateur des présomptions et attitudes dans notre culture, un nombre critique d'entre nous devra raconter l'histoire de ses révélations et transformations personnelles.

JEAN SHINODA BOLEN

Nous parlons d'une énorme entreprise… Cette tâche monumentale n'est autre que la réinvention de l'espèce humaine.

BRIAN SWIMME

Introduction

Humaine, je fais partie intégrante de la Terre. Plutôt que de chercher à la contrôler, puis-je apprendre à la redécouvrir, l'aimer et créer de concert avec Elle ? Voilà mon défi pour les années à venir, défi que je partage avec chacune et chacun d'entre nous, particulièrement en Amérique du Nord où la surproduction et la surconsommation règnent trop souvent au détriment de la vie. Dans nos choix actuels, nous affectons de façon déterminante les générations à venir. Si futures générations il y a. Si nous survivons non seulement à notre autodestruction, mais aussi à l'extinction des autres espèces et à la mise en péril de l'équilibre écologique.

Je fais le pari de croire que, sortant de notre anthropocentrisme, nous développerons une conscience nouvelle de notre interdépendance envers chaque espèce et chaque élément sur la Terre, car un lien intime et profond nous unit à l'univers entier. En tout humain, animal, arbre et parcelle d'air réside une qualité d'être essentielle et inaliénable. Des scientifiques, dont Rupert Sheldrake et Brian Swimme, affirment que l'être humain est la voie par laquelle le cosmos prend conscience de lui-même. Quel cadeau et, en même temps, quelle responsabilité nous avons ! Avant toute chose, ne sommes-nous pas ici pour révérer et célébrer le Mystère premier dans lequel nous baignons ?

Je connais des humains qui explorent la dimension spirituelle de l'existence et lient la croissance intérieure à l'intégrité dans l'action. Animées, voire enflammées par un désir essentiel de beauté, de vérité et de compassion, les personnes que j'ai eu le bonheur d'interviewer entre décembre 2000 et novembre 2002 pour le magazine québécois *Guide Ressources* sont à la fois témoins et prophètes d'une humanité en transformation. Maintenant réunies dans ce recueil, leurs voix s'inscrivent dans une sublime et incommensurable symphonie en pleine création.

Chère lectrice, cher lecteur, voici *Voix de la Terre*.

LE FEU

Matthew Fox

Chaque matin, nous nous éveillons
avec le feu qui a créé toutes les étoiles…
C'est le feu qui est au centre de notre être,
le feu central du cosmos entier…
Nous avons le pouvoir de forger le feu cosmique.
Qu'est-ce qui peut être comparé à une telle destinée ?

BRIAN SWIMME

Théologien visionnaire, Matthew Fox dresse un portrait holistique de l'humanité et de l'Univers. Ancré dans les grandes traditions spirituelles du monde, il réunit le mysticisme, la créativité et l'action dans une vision qu'il appelle la spiritualité de la création.

Né en 1940, aux États-Unis, dans une famille d'origine irlandaise catholique, Matthew Fox entre dans l'Ordre des dominicains en 1958 et, quelques années plus tard, obtient un doctorat en théologie *summa cum laude* à l'Institut catholique de Paris. En 1989, le Vatican le condamne à un an de silence. En 1993, on l'expulse de l'Ordre. Un an plus tard, ayant joint l'Église épiscopale en Californie, il reçoit la Courage of Conscience Award, récompense précédemment offerte au Dalaï-Lama et à Mère Teresa. Fondateur en 1996 de la University of Creation Spirituality, à Oakland en Californie, il est aussi l'auteur de vingt-cinq livres, dont deux traduits en français, *La grâce originelle* et *Le Christ cosmique*.

Sensible, passionné et doté d'un sens de l'humour aiguisé, voire décapant, Matthew Fox a bien voulu répondre à mes questions.

Matthew Fox, qu'est-ce que la spiritualité de la création?

La spiritualité de la création nous relie à l'Univers et à la Genèse en tant que grâce et bénédiction. C'est la plus ancienne tradition biblique, celle aussi des femmes et des autochtones du monde entier. Jésus connaissait bien cette tradition, les grands mystiques médiévaux aussi, comme Maître Eckhart, Hildegarde de Bingen, Thomas d'Aquin, François d'Assise, Nicolas de Cuse et Julienne de Norwich, ces derniers influencés par les Celtes qui avaient descendu le Rhin et pénétré en Italie du Nord. Cette tradition trouve Dieu dans toute la nature, incluant l'humanité. Comme le mouvement Nouvel Âge, elle s'intéresse au mysticisme, au corps et à la science. Elle est cependant plus attentive à l'ombre individuelle et collective, se préoccupant de justice sociale. Avant tout, elle diffère du Nouvel Âge dans sa nature même, en tant que tradition.

Mon avant-dernier livre traite d'ailleurs d'œcuménisme profond, du terrain commun à toutes les traditions spirituelles du monde. J'y explore des thèmes qui se retrouvent dans les Écritures et chez les mystiques de ces traditions, par exemple celui de la lumière. Tous s'entendent sur l'origine divine de la lumière. Partout dans le monde, ce mot signifie l'éveil et l'illumination. De son côté, la nouvelle science affirme que toute matière est constituée de lumière dense se déplaçant lentement. La lumière nous renvoie donc à la physique et à la conscience en même temps. J'aborde aussi le thème de la compassion. Toutes les Écritures tentent de nous l'enseigner, mais nous l'apprenons très lentement. Il y a des chapitres sur la méditation, la mort, la résurrection et la réincarnation, la sexualité sacrée, la joie, la beauté et la création elle-même. J'ai voulu choisir des thèmes importants pour la survie de l'humanité.

Comment en êtes-vous venu à vous engager dans cette voie?

J'ai grandi au Wisconsin, entouré d'arbres et de lacs, et j'ai été influencé par la spiritualité autochtone américaine. Pour moi, la nature était à la fois mystique, puissante et tout à fait magnifique. Je voulais explorer cette dimension. À l'adolescence, la lecture de Tolstoï, de Shakespeare et d'autres grands auteurs m'a profondément marqué. Et puis, j'avais lu Thomas d'Aquin. Comme je fréquentais une école publique, mes meilleurs amis étaient juifs, protestants ou agnostiques. Mes discussions avec eux ont stimulé le côté intellectuel de ma foi. J'ai alors trouvé dans la tradition dominicaine des outils pouvant m'aider à vivre ma forme de spiritualité.

C'est le père M. D. Chenu, un dominicain français ayant enseigné à l'Université Saint-Paul à Ottawa, qui m'a éveillé à la spiritualité de la création alors que j'étudiais avec lui à Paris, en 1967 et 1968. Il m'a appris à quel point la spiritualité de la création diffère de la tradition chrétienne dominante, basée sur la chute, le péché originel et la rédemption. Il m'a aussi enseigné plusieurs aspects de la vision chrétienne, dont la passion pour la justice. À cette époque se trouvait dans mon pays toute une opposition à la guerre du Vietnam, de même qu'un engagement envers la reconnaissance des droits civils. La justice sociale, la justice raciale et la spiritualité étaient donc présentes en moi quand j'ai rencontré le père Chenu.

Si les étudiants ont apprécié mon enseignement lors de mon retour aux États-Unis, les pères plus âgés se sont sentis menacés. Ayant dû quitter ma charge de cours après moins de six mois, je suis allé enseigner dans un collège féminin en banlieue de Chicago. Prenant conscience des histoires et des expériences vécues par ces femmes, je suis devenu féministe. J'ai alors créé une maîtrise en spiritualité de la création où était présentée une pédagogie non cartésienne, incluant le cœur et le corps tout autant que l'esprit. Puis, il y a quatre ans, j'ai fondé la University of Creation Spirituality à Oakland, où je me trouve en ce moment.

Dans tout ce cheminement, comment voyez-vous votre condamnation au silence par le Vatican, puis votre expulsion des dominicains?

Dans un document officiel, le cardinal Joseph Ratzinger, chef de la Congrégation pour la doctrine de la foi au Vatican, m'a accusé d'être un théologien féministe et d'appeler Dieu «Mère», même si tous les mystiques médiévaux l'ont aussi fait, dont Maître Eckhart et Julienne de Norwich. De plus, il m'a accusé d'être trop sympathique aux autochtones et aux homosexuels. Toutes ces raisons étaient superficielles. On m'a expulsé parce que je faisais partie intégrante d'un mouvement, la spiritualité de la création, dont on n'avait pas le contrôle et dont on avait peur. La même année, on a aussi renvoyé les deux autres théologiens catholiques les plus lus dans le monde, le Brésilien Leonardo Boff et l'Allemand Eugen Drewermann. Ces expulsions étaient manifestement d'ordre politique. Cela a été une période difficile pour moi mais, en même temps, j'ai considéré mon expulsion comme une sorte de compliment.

Ma position relève davantage de l'esthétique que de la confrontation. Par exemple, je soulève des différences intellectuelles entre saint Augustin et Jésus. Si cela est confrontant, qu'il en soit ainsi. Dans mon livre *La grâce originelle*, je démontre que Jésus n'avait jamais entendu parler du péché originel. Aucun juif n'en avait d'ailleurs entendu parler. Alors, comment se fait-il que nous ayons construit une Église sur cette base? Le péché originel a été conçu au ive siècle par saint Augustin, celui-ci influencé par la philosophie grecque, dualiste, patriarcale et sexiste. Cette pensée a eu beaucoup trop d'influence dans la chrétienté. Je dis les choses comme elles sont.

L'Église a pris une mauvaise route. Le catholicisme institutionnel se trouve aujourd'hui en profond déclin moral et spirituel. Nous connaissons probablement la plus mauvaise papauté depuis celle des Borgia. Ainsi, on a démantelé les communautés de base en Amérique latine. Tous ces catholiques se sont alors joints à l'Église pentecôtiste et plusieurs d'entre eux ont perdu tout sens de la justice sociale. Et je ne parle pas ici de la papauté en relation avec les femmes et les homosexuels. J'ai très peu de respect pour le régime actuel. Après ce que j'ai vécu, je sais que son seul critère est l'obéissance. La violence, l'amertume et l'envie mènent le bal dans plusieurs institutions catholiques aujourd'hui.

Il existe beaucoup de beauté dans la tradition de l'Église. J'ai passé toute ma vie à la dépoussiérer, à redécouvrir ces merveilleux mystiques que sont Maître Eckhart, Hildegarde de Bingen et d'autres. En faisant cela, je me suis fait couper la tête. L'Église institutionnelle tourne le dos à son propre trésor. Elle se meurt. J'en ressens une douleur mêlée de colère et surtout de tristesse.

Vous avez mentionné le travail à faire sur notre ombre collective et individuelle. Comment vivez-vous avec l'ombre autour de vous et en vous?

Dans mon premier livre, je cite le psychanalyste Erich Fromm: « La nécrophilie croît là où la biophilie est étouffée. » J'associe le mal à la nécrophilie, à un désir de mort sous n'importe quelle forme. La solution se trouve dans la semence de biophilie ou d'amour de la vie. Chaque soir, nous devrions nous demander quelles graines de biophilie nous avons plantées dans notre travail et notre communauté pendant la journée. Et nous devons trouver ce qui fait croître l'amour de la vie en nous. Quand je me promène dans la baie, ici, sur le bord de l'eau, non seulement je me calme, mais j'entre en contact avec la biophilie, le symbolisme de la mère, l'eau dont nous venons et qui donne vie à toute la nature. À cela j'ajoute la terre, les animaux, la poésie, la musique, la beauté sous toutes ses formes et la vérité, quelle qu'elle soit. Il y a aussi le fait d'honorer des gens, tels Martin Luther King, Gandhi, Jésus ou d'autres, qui ont voulu nous enseigner l'amour de la vie, de même que le partage de cet amour. J'aime aussi les grands mystiques qui, dans un langage à la fois puissant et poétique, nous ramènent à l'essentiel. Dans tout cela, je trouve des sources de biophilie, et donc des moyens de vivre avec les tendances vers l'ombre qui sont en moi et en chacun de nous.

Vers quoi dirigez-vous votre attention et votre travail en ce moment?

Il faut réinventer l'éducation, le travail et le culte. Parmi les programmes offerts à notre université, nous proposons un doctorat en spiritualité pratique (*Doctor of Ministry*) dans lequel nous joignons le travail à la nouvelle cosmologie et à la spiritualité de la création. S'y trouvent des ingénieurs, des médecins, des scientifiques, des artistes, des travailleurs sociaux et des thérapeutes, des membres du clergé et des gens d'affaires voulant intégrer leur spiritualité à leur profession. Je suis aussi très intéressé aux nouvelles formes de culte et de rites. Malidoma Somé, guide spirituel africain vivant ici même à Oakland, affirme qu'il n'existe pas de communauté sans rites. Ces rites existent là où des gens vont ensemble à la rencontre de la douleur, de la colère et de la joie. Par exemple, plusieurs jeunes cherchent dans les raves un esprit de communauté et de célébration. Je suis devenu prêtre dans l'Église épiscopale parce qu'on m'y permet le développement d'une liturgie alternative. Inspirés par les jeunes et avec eux, nous organisons des messes « techno-cosmiques ». Récemment, nous avons recueilli six cents images de déesses issues de toutes les traditions, dont Marie, et avec ces images projetées autour de nous sur des écrans géants, nous avons accueilli, en dansant, l'aspect féminin du divin en nous. Les participants étaient juifs, bouddhistes, chrétiens et païens. C'était très puissant.

Cela s'inscrit dans la vision offerte par la nouvelle physique. La science newtonienne favorisait une vision du monde en parties séparées. Dans la nouvelle physique, nous sommes tous en relation. Ainsi, nous vivons dans une époque « postdénominationnelle ». Maître Eckhart a dit que Dieu est une rivière souterraine dont personne ne peut arrêter ou endiguer le cours. Dieu est une rivière, et nous avons plusieurs puits : le soufi, le juif, le chrétien, le bouddhiste et celui de la Déesse. Peu importe le puits employé puisqu'on y trouve au fond la même eau. L'humanité a besoin de cette eau et de cette sagesse communes. Les questions importantes ne sont donc plus reliées à l'Église, mais plutôt à la création et à la manière dont nous la traitons. La détérioration écologique va bientôt faire disparaître notre espèce si nous ne nous réveillons pas et ne changeons pas notre manière d'être.

En ce sens, comment envisagez-vous l'avenir de l'humanité ?

Nous détruisons plusieurs milliers d'espèces par année, sans compter l'air, l'eau et le sol que nous polluons et les forêts que nous rasons. Nous vivons le plus grand effondrement écologique depuis la disparition des dinosaures, il y a soixante-cinq millions d'années. Les enjeux sont considérables. Cette destruction imminente n'est pas seulement notre responsabilité, c'est aussi une invitation à changer notre manière d'être. Nous n'avons plus le choix. Nous ne pouvons survivre avec une religion superficielle. Nous devons aussi aller plus loin que la société de consommation, de publicité, de distractions et de dépendances. Nous devons effectuer un travail en profondeur, découvrir qui nous sommes vraiment et grandir rapidement en tant qu'individus, communauté et espèce. Nous avons besoin de la nature pour vivre et nous ne sommes pas assez stupides ou inconséquents pour l'oublier. Nous avons également besoin des autres espèces, non seulement pour manger mais, plus encore, pour leur beauté et leur poésie qui nourrissent notre âme. Plusieurs jeunes savent bien que la solution ne se trouve pas dans le matérialisme et que nous devons vivre autrement, dans la célébration plutôt que dans la destruction. J'ai bon espoir dans l'éveil de l'humanité, mais nous n'avons pas beaucoup de temps : il faut nous engager et nous mettre au travail dès maintenant.

Selon les scientifiques, nous possédons trois cerveaux : le reptilien, qui est le plus ancien, le mammaire et l'intellectuel. L'énergie reptilienne est très présente avec la guerre, le capitalisme et la loi du plus fort. Notre cerveau mammaire se porte davantage vers la création de liens et de communautés. En reliant notre cerveau intellectuel au mammaire, nous pouvons découvrir notre capacité d'amour. Mais avant tout, il faut apprivoiser le crocodile en nous.

Avec votre expérience et votre vision de la vie, comment vous sentez-vous en ce moment ?

Je ressens de la joie mêlée à la souffrance et aux combats. Pourquoi vivre sinon pour tout cela ?

Merci, Matthew Fox.

Anita Roddick

Je suis le feu tapi dans la pierre.
Si tu es de ceux qui font jaillir l'étincelle,
Alors frappe.

ZIADETALLAH

« Si tu te crois trop petit pour avoir une influence, essaie d'aller au lit avec un maringouin. » Voilà l'une des phrases favorites de l'énergique et brillante Anita Roddick, fondatrice des magasins *The Body Shop* et activiste sociale. En 1976, pour gagner sa vie et nourrir ses deux enfants, Anita Roddick démarrait dans le sous-sol de sa maison à Brighton, dans le comté de Sussex en Angleterre, la fabrication d'une quinzaine de produits naturels vendus dans des bouteilles de plastique recyclable auprès de gens de son quartier. Vingt-cinq ans plus tard et sans avoir eu recours à la publicité, elle est maintenant présidente de l'une des plus importantes entreprises mondiales, avec plus de mille cinq cents magasins répartis dans quarante-sept pays. Tout au long de ces années, Anita Roddick n'a jamais cessé de pratiquer une éthique basée sur le respect et la valorisation de la personne, des communautés et des cultures, des espèces animales et de l'environnement en général. Souvent ridiculisée par les médias et le monde des affaires, elle n'a jamais dévié de son message et de sa destinée. À cinquante-neuf ans, elle a publié son autobiographie, *Business as Unusual*, dans laquelle elle fait part, sans détour, des hauts et des bas de son entreprise, de même que des valeurs à la base de son action et de sa vie. Prophète de la justice et de la compassion dans un monde en crise, Anita Roddick a généreusement répondu à mes questions.

Anita Roddick, vous avez fondé une entreprise spécialisée en produits de beauté. Comment vous reliez-vous au concept de la beauté véhiculé dans notre société, particulièrement dans la publicité destinée aux femmes?

Je ne pensais pas à la beauté en fondant *The Body Shop*, mais aux simples soins du corps. Anthropologue de formation, je savais comment on peut nettoyer le visage, polir la peau et protéger les cheveux. Cette approche m'a marquée jusqu'à ce jour. À cause de cela, la compagnie a toujours été une épine dans le pied de l'industrie des cosmétiques.

Nous défions cette industrie qui sépare les femmes de leur corps. Ainsi, nous célébrons tous les âges de la vie. Nous ne fabriquons pas de crème contre le vieillissement ou la cellulite. Nous ne photographions pas des mannequins, mais plutôt des gens dans la rue. Nous ne suggérons à personne de se teindre les cheveux ou de se faire remonter le visage. Pour nous, la beauté se trouve aussi dans un corps large et voluptueux.

Nous fabriquons d'excellents produits. Pour donner une valeur réelle à leur fabrication, nous cherchons des ingrédients pouvant être cultivés par des communautés, des coopératives de femmes, et plus particulièrement des groupes autochtones dans des pays comme le Nicaragua, le Salvador, le Pérou ou le Brésil. Nous achetons directement de ces groupes, leur permettant ainsi de gagner honorablement leur vie. Nous transformons aussi nos magasins en centres d'action sociale. En Angleterre, par exemple, nous avons changé la loi concernant les tests sur les animaux dans les laboratoires de cosmétiques. Ces tests sont maintenant complètement interdits. Quatre millions de nos clientes et clients ont contribué à ce changement.

Selon vous, les gens d'affaires doivent jouer un rôle moral dans la société. Qu'entendez-vous par là?

J'ai toujours ressenti de l'empathie pour la condition humaine. Cela provient de mon enfance. En tant qu'immigrants italiens, nous étions considérés comme des étrangers en Angleterre. Maintenant, je me sers du fait que je possède près de deux mille magasins dans le monde pour faire valoir les droits humains et le mieux-être collectif.

Lors de mes voyages, j'ai appris que la plus grande catastrophe pour l'humanité est la pauvreté, et pas uniquement la pauvreté matérielle; il existe aussi une pauvreté spirituelle et une pauvreté de l'imagination. J'ai aussi découvert que l'Ouest a envahi le reste du monde. On trouve partout des traces de *fast food* et d'autres images de notre société dominante. Les autochtones ne sont plus respectés. Une grande partie de la sagesse humaine est ignorée ou méprisée.

Les gouvernements devraient avoir un agenda moral, mais ils n'en ont presque plus, car le pouvoir appartient maintenant au monde des affaires. Dans notre entreprise, nous avons créé un agenda social et politique basé sur l'action populaire. Les affaires ne devraient pas être la fin mais un moyen. Le milieu de travail devrait élever l'esprit humain. En tant que gens d'affaires, nous devons être des marchands de vision. Cette vision ne consiste pas seulement à faire des profits, elle doit aussi créer un monde plus équitable et ennoblir les gens plutôt que les écraser.

Nous devons développer une conscience sociale. Une compagnie doit se préoccuper de l'évolution des gens qui y travaillent. Des familles complètes, incluant les grands-parents, viennent travailler ici. Nous avons conçu un centre consacré au développement de l'enfant. Nous effectuons également du travail communautaire, ce qui est une façon de remercier ceux et celles qui achètent nos produits et nous permettent de réaliser un profit. Il existe chez nous une interdépendance similaire à celle des tribus où les gens se rencontrent et parlent de leur vie. C'est une façon plus humaniste de faire vivre une entreprise. Nous allons en Europe, là où personne ne veut aller. Nous travaillons dans les institutions pour personnes souffrant de maladie mentale ou dans les orphelinats au Kosovo. En ce moment, nous construisons une école là-bas. J'ai bien sûr commis d'énormes erreurs dans l'entreprise. J'ai engagé des gens affreux et j'en ai laissé partir d'autres qui étaient merveilleux. Je n'ai pas dit merci assez souvent. Au-delà de tout cela, je crois fondamentalement que la vie est un cadeau. Notre travail est de veiller à la protection et à la croissance de ce cadeau.

Vous avez participé à la grande manifestation qui a eu lieu à Seattle en 1999. Plus récemment, des manifestations encore plus importantes se sont déroulées à Québec, à Gênes et ailleurs dans le monde. Comment voyez-vous ce mouvement de protestation massive contre la globalisation telle que pratiquée par les pouvoirs économiques et politiques ?

Bien que la désobéissance civile soit une action tout à fait légitime, à peu près n'importe qui pratiquant cette désobéissance est présenté dans les médias comme un terroriste, un agitateur ou un anarchiste. Il s'agit là d'une interprétation totalement erronée. Les gens ont le droit de se lever et de protester. En ce qui concerne les problèmes reliés à la globalisation de l'économie, ils ont particulièrement raison de s'insurger mais ils ont beaucoup de difficulté à se faire entendre. Le vrai débat moral n'a pas lieu.

Le problème ne réside pas dans la désobéissance civile ; il se trouve plutôt dans son contraire, soit l'obéissance civile. Tellement de gens obéissent aux leaders et aux gouvernements. Nous sommes allés en guerre et des millions de gens ont été tués à cause de cette obéissance civile. Partout dans le monde, les gens obéissants souffrent de pauvreté, souvent à la suite de décisions stupides et cruelles. Pendant ce temps, les multinationales contrôlent et gouvernent les pays. Je crois fermement que la coopération et le partage doivent constituer la base d'un nouvel agenda économique. En ce moment, ces qualités sont presque totalement absentes dans le monde des affaires. On ne peut même pas en parler.

La violence physique ou verbale n'est pas une solution. La solution se trouve dans la désobéissance civile telle que l'a pratiquée Mahatma Gandhi. Souvenons-nous aussi de cet homme qui, durant le massacre qui a eu lieu en 1989 sur la place Tiannamen en Chine, s'est simplement tenu debout devant les tanks militaires et a levé les bras. Ces gens sont des héros pour moi. Plus que jamais, nous avons besoin de leaders spirituels. Les gens cherchent des leaders aux mauvais endroits, par exemple dans le monde politique, du divertissement ou de la célébrité. Pour moi, le vrai leadership se trouve dans les communautés agricoles, dans les associations pour la défense des droits humains ou chez les gens qui posent des gestes courageux malgré les obstacles et les difficultés qu'ils rencontrent.

Lorsque je pense au président américain George Bush, je désespère. Aussi, je pense que l'Organisation mondiale du commerce (OMC) ne disparaîtra pas. Cet organisme devra être réformé grâce aux protestations publiques qui, pour moi, sont des feux allumés un peu partout dans le monde. Il devra être réformé aussi grâce au travail des consommateurs vigilants, des organisations non gouvernementales et, finalement, de quelques gouvernements progressistes. La situation actuelle doit changer. Le monde des affaires doit devenir meilleur et son contrôle doit diminuer.

Devenez-vous encore plus radicale avec l'âge?

Je deviens plus excentrique! (*Rire*) J'aime mon âge. Je n'ai plus à expliquer mes comportements parfois étranges. De plus en plus, j'apprécie la compagnie des autres femmes de ma génération; elles sont en train d'arroser les jardins de l'activisme et du changement social; elles ont des choses à dire et veulent être entendues. À mon âge, je ne suis plus préoccupée par mon apparence. Avant tout, je veux être entendue. De nature optimiste, je ne m'inquiète pas vraiment de l'avenir du monde mais, à cinquante-huit ans, je suis obsédée par le temps qu'il me reste. Je me sens profondément triste parce qu'il ne m'en reste plus beaucoup. Je ne veux pas le perdre. Chaque matin au réveil, je me dis: «Oh! Mon Dieu! Une autre journée devant moi... Quelle merveille! Je ne suis pas morte...»

Je ne crois pas en un Dieu patriarcal qui nous regarde du haut des cieux et je ne suis pas attirée par les religions organisées. Je crois en l'Amour et en l'Énergie. Si Dieu est Amour, alors je crois en Dieu. Je crois au Cosmos, je crois au Christ, à Gandhi et à quelques théologiens de la libération assassinés au Salvador. Pour me ressourcer intérieurement, je pars en voyage. Je sors alors de ma zone de confort habituel. À chaque départ, je me prépare à mourir. Lorsque je me suis retrouvée dans les dépotoirs du Nicaragua en train de défier le gouvernement, je ne savais pas ce qui allait m'arriver. Il y a quelques mois, je suis allée rencontrer des travailleurs dans des *sweatshops* en Asie, puis des fermiers oubliés dans les États-Unis profonds. D'autres fois, je me ressource avec mes petits-enfants et je m'émerveille de leur jeune énergie. Je ne m'assois jamais pour prier, je crois plutôt qu'il existe une prière inhérente dans le fait, par exemple, de marcher ou de communier avec la nature. C'est ainsi que je prie. Voilà mon ressourcement spirituel.

Je crois fermement au pouvoir de la bonté. J'ai toujours dit que nous avons besoin d'une révolution de la bonté. Aussi minuscule soit-il, aucun acte de bonté n'est perdu. Nous pouvons rendre le monde du travail meilleur en y mettant notre cœur, en étant drôles, enthousiastes et surtout bons les uns envers les autres, plutôt que négatifs ou agressifs. Nous pouvons développer ces qualités en nous. En reconnaissant la présence et l'humanité des personnes autour de lui, un gérant, par exemple, peut pratiquer la bonté chaque jour dans son travail.

Quel est l'essentiel dans votre vie, maintenant?

Pour moi, l'essentiel se trouve dans la réflexion et la sagesse. Il m'est aussi essentiel de pouvoir communiquer ce que je sais aux autres. Je ressens une sorte de panique intérieure, tellement j'ai besoin de transmettre mes connaissances. Et puis, je veux partir de nouveau en voyage. Je veux être surprise. Aller se faire dorloter dans un spa luxueux à Tahiti n'est pas un voyage bien surprenant, mais partir en Bosnie, en Croatie ou quelque part dans les montagnes isolées pour travailler et écouter les histoires de vie des gens, voilà qui est surprenant!

Je suis une femme heureuse. Je ne serai jamais de ces gens qui, avant de mourir, regrettent ce qu'ils n'ont pas fait. Tout ce que j'ai accompli, j'ai choisi de l'accomplir. La vie est un voyage. Gandhi a dit que la spiritualité réside dans le service des faibles et des opprimés. Je voyage sur cette route parce qu'il n'y a pas d'autre choix pour moi. Je ne me laisse pas distraire à gauche et à droite. J'ai toujours cru et je continue de croire dans la force de l'esprit humain.

Merci, Anita Roddick.

Jacques Grand'Maison

*La fibre la plus coriace doit s'amollir
dans la coupe de l'amour.
Si elle ne fond pas, c'est que le feu
n'est pas assez fort.*

GANDHI

Théologien, sociologue et prêtre, Jacques Grand'Maison est l'une des figures marquantes de la société québécoise contemporaine. Alliant le cheminement spirituel, la réflexion et l'action, il s'est engagé dans les grands enjeux collectifs de notre époque. Il est l'auteur d'une quarantaine d'ouvrages, dont *Réenchanter la vie*, premier tome d'une trilogie consacrée au discernement spirituel. Humaniste à la fois humble et passionné, Jacques Grand'Maison nous fait toucher ici, en toute simplicité, à l'essence même d'une vie humaine pleinement consentie.

Jacques Grand'Maison, où en êtes-vous dans votre cheminement?

Je viens de vivre quelque chose d'extraordinaire. J'appellerais cela : « Quand il ne reste plus que le souffle… » La notion de souffle se trouve dans les grandes traditions spirituelles et dans l'expérience de tout être humain. À soixante-dix ans, je suis un angineux souvent à bout de souffle ; je prends un médicament qui provoque parfois des étourdissements et me retient à la maison. Il y a quelques temps, j'ai reçu l'appel d'une dame. Son père mourant, un peintre talentueux, veut communiquer avec moi. Elle me dit : « Vous pouvez lui téléphoner. Il ne peut pas parler, mais il entend très bien. » C'était un appel d'humanité et, pour moi, de Dieu lui-même. Je venais d'écrire un texte sur le souffle, inspiré par le prophète Élie disant à Dieu qu'il en a assez de sa mission et qu'il veut mourir. Je me dis : « Pourquoi ne pas partir de cette source divine ?» Tremblant, j'appelle cet homme. Je lui dis : «J'entends votre souffle.» D'abord agitée, sa respiration devient plus calme. Je lui rappelle notre dernière rencontre, puis je lui lis le texte biblique, alors que le Seigneur dit à Élie : «Sors, tiens-toi sur la montagne, je vais passer...» Je continue sous forme de prière : «Je viens à Toi comme l'enfant qui s'endort... Tu viens à nous comme le grain de semence déposé dans la nuit de la terre... Vous qui avez créé de la beauté toute votre vie pouvez comprendre ces paroles...» Je me tais. Nos deux souffles se croisent. Je poursuis : «Nos derniers souffles sont toujours aussi créateurs pour nous amener au Dieu qui nous a fait semblables à Lui, moi le petit peintre du dimanche et vous le grand artiste...» Ayant terminé, je raccroche. Quelques minutes plus tard, sa fille me téléphone et me dit : «Je le sentais lâcher prise. Le chemin d'un nouvel accomplissement semblait s'ouvrir devant lui. Il m'a souvent confié ses doutes sur Dieu. Que s'est-il passé ?» Je lui réponds : «Je ne sais pas. Le plus important nous échappe. C'est sa secrète histoire intérieure. Dieu veut-il qu'on Lui obéisse d'abord ou désire-t-Il que nous soyons capables d'une alliance libre et gratuite avec Lui ?» Cette expérience a été l'une des plus fortes de ma vie. Elle était marquée par cette part de mystère au fond de tout être humain, qui est aussi un lieu fondamental de discernement spirituel.

Le discernement spirituel est inscrit en vous depuis l'enfance, n'est-ce pas ?

Je suis le petit dernier d'une famille d'éducateurs. Après le repas, ma mère lisait le journal à voix haute, puis avait lieu une réflexion sur le sens des événements. Sans nous y contraindre, nos parents nous ont mêlés à ces discussions. Ainsi, le sermon du dimanche était passé au crible de leur conscience critique. J'avais quinze ans quand ma mère a dit au curé: «Vous ne contribuerez jamais à construire une foi adulte sur une conscience infantilisée.» Vous comprenez pourquoi j'ai fait un livre intitulé *Au nom de la conscience, une volée de bois vert*! (*Rire*)

Si je ne suis pas fort sur l'obéissance, j'ai cependant obéi à certaines valeurs de base. Ainsi, il ne faut pas que la fonction critique dépasse l'amour de la vie, l'engagement et l'humanité en moi. Je me rappelle avoir participé un jour à un congrès international. L'un disait que le plus grand problème était le rapport entre les riches et les pauvres. L'autre affirmait plutôt que c'était le racisme. Pour un autre encore, c'était le sexisme. Puis, quelqu'un dit: «Nous voulons nous libérer de l'oppression, mais qu'avons-nous en commun ? Qu'en est-il de l'amour ?» Dans les projets collectifs auxquels j'ai pris part, on sentait souvent un mépris pour les gens qui ne comprenaient rien, qui étaient «une bande d'aliénés». On peut être aussi méprisant avec des objectifs de libération qu'avec des idées conservatrices ou élitistes.

Un vieux Père de l'Église a écrit un texte sublime sur l'arc et la lyre. Dans les premiers siècles du christianisme, l'Empire romain entamait sa décadence. En même temps, il y avait beaucoup de brassage culturel et religieux. Les gens étaient confus. Ce climat ressemblait à celui que nous vivons. Ce Père écrivait que, dans des temps troublés, les gens sautent souvent sur une seule corde de la lyre. Que ce soit celle de la religion, de l'économie ou toute autre corde, on en fait un arc qu'on dresse contre les autres. Pour réussir son humanité, on a besoin d'un ensemble de cordes essentielles. C'est ainsi qu'on trouve sa mélodie.

Quelles sont ces cordes, selon vous?

Dans le deuxième tome de ma trilogie, je les explorerai en portant un regard positif sur les dernières décennies.

Au Québec, et ailleurs en Occident, s'est développé un nouvel art de vivre. Les cordes essentielles se sont mises à jouer. J'en ai repéré huit, chacune avec des touches spirituelles particulières.

La première corde est la revalorisation du corps. Lorsque les assises de la vie sont défaites, on ne peut rien construire de durable. Il y a une dimension corporelle du spirituel. Prenons l'exemple d'un jeune aux prises avec des tentations suicidaires et à qui son grand-père dit : « Tous les passages sont difficiles. On naît les poings fermés. Si on les garde fermés, on ne sèmera rien. Tu es en train de vivre un accouchement, de devenir un bel être humain. Apprends à accueillir la vie, à ouvrir les mains. » Le garçon ajoute : « Mon grand-père m'a sorti de ma nuit. » Ce grand-père parlait le langage spirituel des mains. Peu de temps avant sa mort, mon père m'a pris les mains en me disant : « J'ai fait mon gros possible. » J'ai besoin de ce langage des mains.

La deuxième corde est celle de l'affectivité. Avec le temps, on a développé une intelligence émotionnelle. Bien sûr, il y a des déficits. Le plaisir à tout prix devient un esclavage. Cependant, il ne faut pas sous-estimer les enrichissements. Le dialogue amoureux, la vie de couple et le rapport entre parents et enfants sont plus riches et on y trouve une plus grande profondeur de sentiment. En un sens, on a intégré la dimension spirituelle dans l'affectivité.

La troisième corde est celle de la subjectivité. Avant, les règles du jeu étaient très définies. Maintenant, on permet davantage aux membres d'une famille, que celle-ci soit recomposée ou traditionnelle, de raconter leur propre histoire à travers le filtre de leur subjectivité. En ce sens, on doit beaucoup à la révolution féminine. La subjectivité va jusqu'au plan politique. Des citoyens libres, responsables et décideurs constituent une démocratie plus riche, et cela vaut aussi en éducation. Comme la question humaine est subjective, on ne peut pas avoir de réponses générales. Cela s'applique également dans la vie spirituelle. La religion catholique était auparavant « sur-codée ». La subjectivité est beaucoup plus présente maintenant.

Puis, il y a la corde rationnelle. On a fait un procès de la pensée unique et de la raison instrumentale. Je viens de terminer un mandat à la Régie régionale dans mon coin de pays. Tous les problèmes sociaux s'y trouvent. Jamais on n'a accordé deux heures pour réfléchir au sens de notre action. Une fois, un professeur d'université m'a dit : « Vous êtes dépassé. Vous êtes à l'âge du *croire*. Je suis à l'âge du *savoir*. » Je lui ai répondu : « Si vous disiez cela à Einstein, il éclaterait de rire… Qu'arrive-t-il à un jeune entouré d'adultes qui ne croient plus en rien ? Qu'arrive-t-il quand on ne croit plus en l'humanité ? » Ma vieille mère m'a appris que lorsqu'on trouve un sens à sa vie, on est plus en mesure de faire face aux difficultés et d'aller au bout de soi-même.

La cinquième corde est celle du sens directionnel. Notre société est éclatée et les gens ont besoin de se centrer sur l'essentiel. De là naît le sens de l'orientation. Bien sûr, on peut piger des croyances à droite et à gauche et vivre le plus souvent dans la confusion intérieure. Lors d'un cours à l'université, une étudiante vietnamienne bouddhiste a déclaré : « Je trouve des valeurs extraordinaires dans la tradition judéo-chrétienne. Or vous méprisez votre propre tradition. » Les parents d'aujourd'hui ne donnent plus d'éducation religieuse à leurs enfants. Sans culture chrétienne, on ne peut avoir accès à la majorité de la culture occidentale. Comme curé, cependant, je suis mal placé pour parler de cela.

La sixième corde est celle de l'autodétermination. Des pratiques molles, une langue molle et une conscience molle engendrent un peuple mou. On reproche au gouvernement de ne pas avoir de volonté politique mais, en même temps, on a disqualifié la volonté dans la conduite de notre vie. Pourquoi la volonté n'aurait-elle pas sa place ? Plusieurs jeunes ont beaucoup plus de difficulté que nous en avons eue à s'inscrire dans la société. Or ils sont parfois prêts à vivre dans l'ascèse pour atteindre leur objectif. Cela a un sens spirituel. Au même moment, une nouvelle conscience planétaire émerge. Partout dans le monde, des gens refusent d'être des rouages de la machine économique, d'un parti unique ou d'une religion intégriste.

La septième corde est celle du renouvellement du questionnement moral. La morale commence à retrouver ses lettres de noblesse : on l'appelle maintenant l'éthique et elle est devenue une dimension spirituelle majeure. En même temps, on a perdu le sens de l'interdit. Plus rien n'est sacré et on ne respecte donc plus rien. L'interdit à pourtant une dimension sociale très importante : en agissant comme norme, il a une portée libératrice, fondatrice et civilisatrice. Je suis heureux qu'on commence à réintégrer l'éthique. On entre aussi dans une période historique de raccord, car on a opposé des choses qui devraient être liées, comme la nature, la culture, le cosmos et l'anthropologie.

Enfin, la huitième corde est celle de la transcendance revisitée. Elle se trouve dans la conscience humaine. Quelque chose ne cesse de nous questionner et de vouloir nous amener plus haut. Ce lieu de béance est celui du dépassement, de l'altérité et du sacré.

C'est cela avoir plusieurs cordes. C'est la condition première pour découvrir sa vérité profonde, connaître celle des autres et devenir avec eux.

C'est la démarche de toute votre vie, n'est-ce pas ?

Oui. J'essaie de faire en sorte que ma tête, mon cœur, mon âme et mes mains soient en constante interaction. J'en retire beaucoup de joie. Le mystère pascal nous mène à la mort dans une dynamique de résurrection. Derrière ce qui se défait, il y a toujours de nouvelles pousses. En cela, mes positions chrétienne et humaniste se rejoignent. L'abbé Pierre a dit un jour : « Ce n'est pas la religion qui démarquait les êtres dans les camps de concentration, mais leur humanité. Un gars était en train de mourir. L'un avait hâte de prendre ses bottes. L'autre partageait la moitié de sa soupe avec lui. » Au Centre national de la recherche scientifique, en France, j'ai rencontré des athées pour la première fois. Purificateurs des fausses images de Dieu, ils ont été importants pour moi.

La prêtrise est un autre pari spirituel. Pour certains, il est vital d'en sortir. Pour moi, l'Église est ma famille spirituelle dont la tradition est vieille de deux mille ans. Je trouve très sain, par ailleurs, que le christianisme doive faire face à de profondes remises en question, et je ne suis pas étonné que des gens veuillent aller au bout de leur humanité sans religion. Est-on conscient que la foi est libre ? Bien sûr, il y a la question du mal, mais toutes les religions et les cultures s'y trouvent confrontées. Jésus a pour sa part refusé toute condamnation. Tout reste ainsi ouvert. Dieu s'est embarqué dans une aventure, un peu comme les parents avec leurs enfants. Mettre un enfant au monde, c'est un acte de foi. On ne sait pas ce que l'enfant va devenir. Est-ce nous qui faisons les enfants ou est-ce eux qui nous font ? Dieu est en devenir avec nous.

Aussi, il n'y pas de foi sans modestie. Comme je suis un personnage public, les critiques sur la religion me sont passées sur le corps ! Je me suis souvent senti en-dessous de ma vocation. En même temps, les gens m'ont sans cesse relancé dans la foi. Il faut consentir à avoir besoin des autres. Un jour, par exemple, j'étais en train de faire des courses. Une dame m'accoste et me dit : « On vient d'enterrer ma mère de quatre-vingt-dix ans. La famille est au cimetière. Viendriez-vous faire une petite prière ? » J'étais démuni. En arrivant au cimetière, j'ai vu la terre éventrée, l'urne et une gerbe de fleurs. J'ai dit : « La plus belle gerbe de fleurs est peut-être cette femme de quatre-vingt-dix ans. Elle vous a sûrement enseigné des choses… » Une adolescente m'a alors répondu : « La religion est assez loin de moi. À mon anniversaire, mamie m'a écrit une carte dans laquelle elle m'a dit que j'étais un cadeau de Dieu et que ma vie serait mon cadeau à Dieu. À sa mort, je lui ai demandé, de même qu'à Dieu, s'Il existait, de m'envoyer un ange. C'est vous. » Elle s'est jetée dans mes bras. Je l'ai tournée vers les autres en disant : « Ce n'est pas moi l'ange, c'est toi. Tu vas leur permettre d'exprimer le fond de leur âme. » Il y a eu une stéréophonie. L'un, dont le fils s'était suicidé, a alors affirmé : « Tu viens de me sortir de ma nuit. » En revenant du cimetière, je tremblais en me répétant : « Seigneur, c'est trop, je ne suis pas capable… » (*Rire*)

Ne vous demandez pas pourquoi je suis encore prêtre ! J'ai une « mauvaise santé de fer » : cancer de la vessie, blocage coronarien et angine. Par contre, le médecin me voit tout le temps rebondir. J'irai bientôt visiter deux personnes malades. Je rencontre les gens dans ce qu'ils ont de plus profond. Comment voulez-vous que je ne sois pas heureux ?

Merci, Jacques Grand'Maison.

Stephen Eliot

*C'est la nuit qu'il est beau
de croire à la lumière.*

EDMOND ROSTAND

MADELEINE, ma mère bien-aimée, a souffert d'une psychose. Un mal tabou au début des années 1960. Adolescente, j'ai souffert de la honte liée à ce tabou. Cette honte s'est transformée en un désir de justice sociale envers les personnes atteintes de maladie mentale et en une profonde compassion pour elles, comme pour leurs proches. En ce sens, ma rencontre avec Stephen Eliot s'est révélée précieuse. Dans *La métamorphose*, un récit autobiographique, il raconte ses treize années vécues à l'École orthogénique de Chicago, dirigée de 1947 à 1973 par le célèbre spécialiste de la psychiatrie infantile, Bruno Bettelheim. Issu de la Vienne impériale, interné dans les camps de concentration nazis, puis immigré aux États-Unis en 1939, Bruno Bettelheim a publié plusieurs ouvrages, dont *Psychanalyse des contes de fées*, qui l'ont rendu célèbre. À son sujet, Stephen Eliot a écrit : « Puisque les nazis ont su […] créer dans les camps un cadre où détruire la personnalité, le Dr B. s'est convaincu qu'il saurait créer le cadre où la protéger et la reconstruire. » À l'École orthogénique, la porte n'était pas fermée à clé de l'intérieur, on ne prescrivait pas de médicaments et on mangeait de la nourriture fine. Après le suicide de Bruno Bettelheim en 1990, la démarche qu'il préconisait fut durement attaquée. Le témoignage de Stephen Eliot contribue à rétablir les faits. Diplômé de l'université Yale et banquier à New York, Stephen Eliot écrit aussi des scénarios de films. *La métamorphose* est un premier livre jailli de la souffrance, mais aussi de l'intelligence, de l'intégrité et d'un véritable amour de la vie.

Stephen Eliot, qu'est-ce qui vous a amené à écrire La méta-morphose?

Il arrive un moment où on acquiert suffisamment de distance par rapport à son vécu pour pouvoir le comprendre et le raconter. J'ai voulu écrire ce livre pour les gens qui m'entourent, pour qu'ils sachent d'où je viens et comment je suis devenu qui je suis.

J'étais très conscient et alerte quand je suis entré à l'École à l'âge de huit ans. Cependant, j'étais incapable de ressentir mes émotions et d'entrer en relation intime avec qui que ce soit. Si les circonstances de ma petite enfance avaient été difficiles, cela n'expliquait pas tout de mon état. On ne saura jamais pourquoi j'étais ainsi. Cela fait tout simplement partie de la condition humaine. Les gens sont tous différents et réagissent à des situations de manières diverses. En ce qui concerne la maladie mentale, il me semble très difficile de dire ce qui est chimique ou génétique, et ce qui relève de l'environnement. Les arguments concernant cette question vont bon train depuis un demi-siècle. Je pense que certains enfants avec qui j'ai vécu avaient des problèmes chimiques. D'autres étaient nés dans des conditions horribles, avec des parents abusifs et déséquilibrés. Un tel environnement était suffisant pour les rendre fous. Dans les camps de concentration où Bruno Bettelheim s'était retrouvé, la plupart des gens avaient eu auparavant une vie normale. Une fois sortis des camps, plusieurs ont fait des dépressions nerveuses et certains n'ont jamais guéri. Il est donc possible de développer une psychose à partir d'une expérience extrême. Les mécanismes normaux de défense ne peuvent alors plus fonctionner de manière adéquate pour protéger la personne.

En ce qui me concerne, j'étais privilégié. J'avais beaucoup de problèmes, mais aussi plusieurs dons. Et puis, il y avait quelque part en moi une partie saine qui pouvait reconnaître la réalité. Je savais que j'avais de la valeur, et ainsi, j'ai pu persévérer. Étrangement, mes années à l'École ont été parmi les plus saines de ma vie. On faisait passer les enfants en premier et on essayait de comprendre ce qui se passait en eux. On valorisait l'esprit humain, de même que la vérité et la collaboration avec les autres, pour le mieux-être de tous. C'était un privilège de vivre là où les gens étaient respectés plutôt que jugés. Quand je compare cette expérience avec tous les jeux sociaux, professionnels et politiques dans lesquels les gens sont engagés dans le monde extérieur, j'en viens à me demander ce qui est vraiment sain et ce qui ne l'est pas.

Dans votre livre, vous appelez Bruno Bettelheim plus familièrement le Dr B. Qui était le Dr B. pour vous?

On appelait tous les membres de l'équipe par leur prénom, à l'exception de Bruno Bettelheim. Son nom était compliqué. Le Dr B. était plus facile à prononcer pour les très petits enfants, et il nous permettait de l'appeler ainsi. Cela le rendait plus intime, moins professionnel auprès de nous. En moyenne, je le voyais quatre ou cinq fois par jour. Je ne l'approchais pas facilement, car il pouvait être féroce! Il menait ses propres batailles et combattait ses propres démons. C'était un père autocrate. C'était son style, mais c'était aussi la manière dont les familles européennes agissaient au siècle dernier. À sa manière, je suis sûr maintenant qu'il m'a aimé.

À cause de sa férocité, il a engendré la colère autour de lui. Pour certains adolescents, l'École n'était pas un endroit agréable. Il était difficile d'y exercer son autonomie. Le Dr B. et l'équipe pensaient savoir ce qui était bien pour les jeunes, mieux que les jeunes eux-mêmes. Cela allait si vous aviez huit ou dix ans, mais plusieurs enfants sont arrivés plus vieux. Quelques autres, entrés plus tôt, se sont aussi plaints du Dr B. D'un autre côté, certains enfants autistiques n'avaient personne pour les défendre, et d'autres étaient profondément perturbés. Le Dr B. comprenait facilement ces enfants. Il ne s'est pas trompé et n'a trompé personne en les aidant. Personne n'aurait fait un meilleur travail que lui. Aussi, nous avons vécu des expériences différentes selon les thérapeutes qui nous étaient assignés. Je dois la mienne à mes deux thérapeutes successives, Diana et Margaret. Mon livre peut être vu comme mon histoire d'amour envers Diana. Elle fut la première personne de l'École à prendre soin de moi. C'est avec elle que j'ai vécu ma première relation intime. Sans cela, je ne sais pas ce qui me serait arrivé.

Dans tout cela, pouvez-vous expliquer votre guérison?

J'ai eu de la chance. Tout le monde veut grandir, se sentir mieux dans sa peau et avoir une vie plus agréable. Certains peuvent faire le travail pour y arriver et d'autres pas. Je ne sais pas pourquoi c'est ainsi. Encore une fois, on peut avoir vécu certaines expériences si horribles qu'on ne peut s'en échapper. Même si j'avais beaucoup de problèmes, il n'y avait rien dans ma vie qui ne pouvait être dépassé. J'ai pu accomplir le travail. Puis des gens merveilleux m'ont insufflé la force et l'encouragement dont j'avais besoin.

Le problème pour vous, en tant que journaliste, est le même que celui de la plupart des parents qui veulent savoir à tout prix comment aider l'autre, ce qui fonctionne et ce qui ne fonctionne pas. La réponse est qu'on ne sait pas. La plupart des gens répondent positivement à la bonté, à la décence et au respect qu'on leur accorde. Quand on travaille avec un enfant gravement perturbé, on ne peut pas prédire automatiquement le résultat de ce travail. Si on avait une réponse toute faite, on l'aurait mise en pratique depuis longtemps. Cela dit, le Dr B.

disait souvent préférer les enfants batailleurs qui, selon lui, avaient une meilleure chance de s'en sortir que les plus passifs. Je me suis toujours rappelé cela.

J'avais encore beaucoup de travail intérieur à faire quand j'ai quitté l'École. Je devais comprendre les relations sociales, en particulier le fait que la vérité et l'aide mutuelle, dans la compréhension de soi et des autres, ne sont pas valorisées dans la société. En même temps, si vous vous connaissez bien et si vous pouvez regarder la réalité de manière plus ou moins objective, vous pouvez vivre dans la société. J'ai appris certaines choses très rapidement. Il m'a fallu beaucoup plus de temps pour en apprendre d'autres.

Dans votre livre, vous ne parlez pas de la religion ou de la spiritualité à l'École. Quel est votre rapport avec cette dimension de la vie?

On ne parlait pas beaucoup de Dieu à l'École. Peu importe ce qu'il y avait en haut, on se disait qu'on avait à vivre dans l'ici-bas, maintenant. En même temps, je pense que l'École était spirituelle, car on y respectait l'esprit humain. De même, je crois être spirituel, car je respecte la vie et les autres. J'ai un sens des valeurs.

D'ailleurs, il y avait une différence majeure entre Bruno Bettelheim et les autres psychiatres. Quand le Dr B. rencontrait un enfant avec des problèmes, il le voyait comme un être malheureux et se demandait comment il pouvait l'aider. Si on considère un enfant comme un patient et qu'on pose un diagnostic sur lui, on le juge et on prend ses distances par rapport à lui. Cela ne contribue pas à créer un rapport de confiance. On a déjà perdu la bataille. Voilà la différence entre ce que j'ai vécu à l'École et ce que les jeunes vivent maintenant.

Dans notre société, il est plus facile pour un enfant d'obtenir un revolver à l'école que de recevoir un traitement à long terme. Nous sommes prêts à dépenser cent mille dollars quand une personne victime d'une crise cardiaque se présente à l'hôpital. Cependant, nous ne dépensons rien pour les enfants dans le besoin, ce qui engendre souvent des conséquences désastreuses pour les familles et la société en général. Nous devons réfléchir au véritable sens de l'éducation. Éduquer ne signifie pas viser l'efficacité. Cependant, on veut agir le plus vite possible. Quand un enfant a des problèmes, on lui donne tout de suite des médicaments. Cela est représentatif de notre société qui, plutôt que de chercher la meilleure chose à faire, tente de s'en tirer avec le moins d'efforts possible.

J'aime les enfants. Je parle leur langage couramment (*I speak child*). Je pense que cela est un de mes dons. J'ai été chanceux : j'ai trois filleuls. Ils sont mon avenir. Même quand ils se battent sur le siège arrière de la voiture et me rendent dingue, je les aime inconditionnellement ! Je pense que si on aime un enfant inconditionnellement, cela va changer sa vie.

Où en êtes-vous dans votre vie, maintenant ?

Je me suis rendu compte, en écrivant ce livre, que mon enfance n'a pas été aussi exceptionnelle que cela. Je ne connais pas beaucoup de gens qui ont eu une enfance parfaite. À peu près tout le monde a rencontré et surmonté, d'une manière ou d'un autre, des difficultés. C'est ce qui rend les gens intéressants. Ainsi, j'ai grandi dans une famille qui n'était pas la mienne, mais c'était une famille dans laquelle se trouvaient des enfants avec divers problèmes. J'avais moi-même de la difficulté à être qui j'étais et à affirmer mon autonomie. Je ne crois pas que ce soit une histoire si inusitée.

Au-delà des conflits entre l'intellect et les émotions, de même qu'entre soi-même, la famille et le travail, on arrive à un point où on peut voir les choses en perspective. On trouve un certain équilibre, on devient adulte. Cela ne veut pas dire que la vie devienne facile ou heureuse ; on prend plutôt celle-ci telle qu'elle est au lieu de s'y opposer, d'en bloquer une partie ou de prétendre qu'il s'agit d'autre chose. Ainsi, je pense vivre ma vie comme à peu près tout le monde.

À quarante-six ans, je suis encore un batailleur. Je me bats pour d'autres personnes et pour une vision morale des choses. À Wall Street, où je travaille, je ne m'entends pas toujours avec mes clients. Parfois, ils ne restent pas mes clients. Cependant, je ne peux me battre à longueur de journée. J'ai appris à choisir mes batailles. Et puis, j'exerce ma créativité. Plus particulièrement, je projette l'écriture d'un nouveau livre qui portera sur mes années après l'École. Mon père est éditeur et il a révisé mon premier livre en anglais. Il en est très fier, et ma mère aussi. Bien sûr, mes parents ont certains regrets par rapport au passé, mais nous avons évolué depuis ce temps.

Cela dit, je n'ai pas grand contrôle sur mon livre maintenant. J'espère qu'il sera bien reçu et que des parents pourront bénéficier de sa lecture. Il se peut aussi que des adolescents se sentent moins seuls en le lisant. Encore aujourd'hui, les gens ont peur de la maladie mentale et évitent d'en parler. Si je peux faire une différence avec ce livre ou quelque autre action, j'entends bien la faire.

Merci, Stephen Eliot.

L'EAU

Jean Monbourquette

*À tout moment la vie abonde, ruisselle, irrigue
ce quotidien auquel nous ne savons pas nous arrêter.
C'est du plus ordinaire que filtre l'eau de la source.
Mais il y a tant à débroussailler avant d'être à même
de le comprendre, de l'admettre.*

CHARLES JULIET

Prêtre, psychologue et longtemps professeur à l'Institut de pastorale de l'Université Saint-Paul à Ottawa, Jean Monbourquette est devenu, avec un demi-million de livres vendus sur la planète, non seulement l'un des auteurs et conférenciers les plus appréciés, mais un phare dans notre cheminement individuel et collectif. Avec une approche simple, sensible et profonde à la fois, il accueille notre souffrance, nous indique des chemins de guérison et nous ouvre à la paix intérieure, la créativité et l'amour. Affable et généreux dans la vie comme dans ses livres, Jean Monbourquette se voit avant tout comme un médecin des âmes.

Jean Monbourquette, cela veut dire quoi, pour vous, être médecin des âmes ?

C'est une synthèse de la psychologie et de la spiritualité. Je soigne les personnes aux plans psychologique, spirituel et religieux à la fois. Je touche aussi au plan physique. Si un client manifeste des symptômes physiques, je lui conseille de voir son médecin mais, en même temps, j'essaie de voir s'il n'y a pas une cause psychologique, psychosomatique ou spirituelle.

La psychologie est l'étude de l'âme humaine, de la psyché humaine. Historiquement, la psychologie scientifique s'est développée en dehors de toute spiritualité. Ainsi, Freud a affirmé que l'inconscient est habité seulement par des instincts et qu'on doit se bâtir des défenses conscientes pour se protéger contre lui. Il a refusé d'admettre l'existence d'une âme spirituelle et religieuse. La religion, a-t-il dit, est une projection infantile sur Dieu.

Dans chaque être humain, on trouve l'ego et le Soi. On se sert de l'ego, par exemple, pour survivre et satisfaire nos besoins de reconnaissance sociale. Mais toute personne a une âme, qu'elle soit religieuse ou non, qu'elle ait la foi ou non. On peut compter sur cette âme, sur cette instance spirituelle dans la guérison. Il existe en nous des motivations spirituelles, par exemple celle d'aimer quelqu'un avec bienveillance. Cet amour, prodigué pour l'autre et non pour soi, est un geste spirituel de l'âme. Si une personne admire la beauté d'un paysage ou d'une autre personne, il s'agit aussi d'un geste spirituel. Puis il y a des personnes vivant des expériences-sommet, par exemple des expériences de beauté ou de courage ne dépendant pas des instincts. Ces expériences proviennent aussi d'une instance spirituelle intérieure. Dans tout cela, je fais la distinction entre la spiritualité du Soi ou de l'âme, et la foi dans un Être absolu, tel que révélé par des prophètes fondateurs de religions.

Comment avez-vous découvert cette instance spirituelle en vous, distincte de votre foi religieuse?

Tout d'abord, j'ai été pas mal endoctriné par l'école freudienne. Puis j'ai rencontré Carl Jung qui, lui, tient compte des phénomènes spirituels. Depuis, j'effectue de plus en plus une synthèse entre ma foi et la spiritualité du Soi. Quand j'ai des problèmes ou des conflits, je me confie à mon âme habitée par le Divin. On a demandé à Carl Jung ce qu'était le Soi par rapport à l'ego. Il a répondu: «C'est l'image de Dieu, l'*imago Dei*.» Il a constaté l'existence d'une instance spirituelle dans l'être humain ayant cette image du Divin. Même si je n'en suis pas conscient, il existe en moi une instance spirituelle pouvant me guérir et résoudre des conflits. Par la Révélation que nous a faite Jésus-Christ, ce Divin peut être vu comme un père ou une mère de toute bonté.

Une personne non croyante peut cheminer spirituellement. Par exemple, un homme se présente à moi; très bien marié et père de famille, il a une maîtresse. Il est tiraillé entre l'amour de sa femme et celui de sa maîtresse. Comme thérapeute, je considère avec lui l'amour qu'il porte à sa femme et celui qu'il porte à sa maîtresse. En termes de croissance, que retire-t-il de l'un et de l'autre? Puis je lui fais constater la division de son affectivité. Quand j'ai réussi cela, je demande au Soi de le guérir, de faire l'union entre ces deux parties affectives. Même si cet homme est incroyant, il existe en lui une âme spirituelle pouvant réconcilier ces deux amours. Je ne décide pas pour cet homme, je laisse plutôt le Soi décider pour lui. Le Soi est une force intégrative qui réconcilie les opposés. J'utilise aussi une technique d'intégration des mains. Je dis: «Regarde ta main droite, c'est l'amour de ta femme; regarde ta main gauche, c'est l'amour de ta maîtresse. On va demander au Soi d'unir ces deux amours, pour ta croissance spirituelle.» Pendant ce temps-là, je prie silencieusement pour que le Soi agisse dans le plus grand intérêt de cette personne.

C'est ainsi que vous cheminez dans votre propre vie?

Oui. Je suis convaincu de la force créatrice de l'âme dans les conflits que nous vivons. En ce sens, l'écriture de mon livre *Apprivoiser son ombre* s'est avérée fondamentale pour moi. L'ombre, c'est l'aspect opposé du conscient. Si je ne peux unir les tendances conscientes et inconscientes en moi, je fais de l'anxiété ou de l'angoisse. Cette angoisse me signale une division à l'intérieur de moi. Je demande alors au Soi de résoudre cette division, de trouver une formule créatrice dépassant mes conflits et m'apportant la paix.

Je vais vous raconter une histoire. À l'Université bilingue Saint-Paul, j'ai dénoncé le fait que le français perdait pied. Par exemple, on avait engagé un aumônier unilingue anglais alors que celui-ci devait servir aussi la communauté francophone. Le recteur a dit que je faisais de l'aumônier un cas de personnalité et qu'il allait m'envoyer une lettre publique de blâme à cet effet. Il me l'a envoyée, signée par tous les membres du conseil exécutif de l'université. Je suis devenu très angoissé. Mon énergie était bloquée. Je me répétais constamment : « Je suis un bon garçon, un prêtre, un psychologue, et j'ai dénoncé publiquement une erreur. » Je me sentais comme un bon petit garçon ayant gaffé et désobéi. Je suis resté avec cette angoisse. Comme le mot original latin *angustia* veut dire étroitesse et lieu resserré, je me suis demandé quelle partie de moi était angoissée et réprimée. J'ai demandé à mon inconscient, à mon Soi, de découvrir cette énergie bloquée par ma culpabilité. J'ai alors eu une inspiration. J'ai découvert que j'avais le droit de dénoncer une injustice en public. J'ai commencé à me le dire et à me le répéter. J'ai crié fort. Mon angoisse a disparu. Elle s'est transformée en enthousiasme et je me suis mis à rire. En grec, le mot enthousiasme signifie *en theos,* ou Dieu voulant se manifester en moi. J'ai libéré cette énergie avec la collaboration du Soi. Mon Soi m'a inspiré.

Qu'est-ce qui vous anime dans votre mission ? Qu'est-ce qui vous motive au plus profond de vous-même ?

La mission se situe tout près de l'identité d'une personne. C'est une inclination durable du cœur pour le service des autres. Je n'ai pas créé ma mission. Je suis serviteur de ma mission. Elle m'a choisi. Je l'ai sentie très jeune, cette mission en moi. Habituellement, les adolescents ont des intuitions de leur mission. Comme ils sont en transition, ils perçoivent souvent leur mission dans la projection qu'ils effectuent sur un héros. Mais peu d'adolescents suivent ces intuitions-là. Ils ne suivent pas leur voie. La vie les bouffe. Ils doivent trouver du travail, ils veulent faire de l'argent, être acceptés dans la communauté, etc. À l'adolescence, j'ai voulu devenir médecin des âmes. C'était prophétique. Je ne connaissais pas encore l'existence du lien entre la psychologie et la spiritualité, mais j'en avais l'intuition. Ma mission de prêtre, je la vois dans la rencontre des gens, dans le fait de les accompagner et de les soigner plutôt que dans des fonctions de célébrant. Je préfère donner des conférences, écrire, indiquer des chemins de guérison et fournir des instruments de croissance.

Dans tout cela, la mort de mon père fut marquante pour moi. J'ai fait le deuil de mon père vingt-deux ans après sa mort. Lors d'un atelier auquel je participais pendant mes études à San Francisco, mes écluses se sont ouvertes. J'étais très surpris de ce qui m'arrivait. Je croyais mon père enterré, mais il était toujours très présent en moi. Je me suis alors dit que je soignerais les gens dans leur deuil, dans leurs pertes, et que je partirais de ma propre expérience. J'ai rencontré plusieurs personnes en deuil. J'ai créé des groupes de rencontre sur le deuil. Insatisfait de la littérature existante, j'ai voulu écrire un livre rituel sur le deuil, et ainsi rejoindre plus de gens. J'ai commencé à écrire au tournant de la cinquantaine. Paru en 1983, *Aimer, perdre et grandir* continue de se vendre à raison de huit mille exemplaires par année.

Souvent, les maux psychologiques dépendent de pertes non intégrées On ne fait plus les deuils qui sont nécessaires pour les transitions de vie. Contrairement aux civilisations traditionnelles, notre civilisation nie publiquement le deuil. Or le deuil appartient non seulement à l'individu, mais aussi à la communauté qui doit offrir, par des rituels, un contexte social propice à enclencher et résoudre le deuil. Au lieu de cela, on cache les morts et on les incinère rapidement. Ce n'est pas utile de faire le deuil, cela dérange notre civilisation hédoniste. Pourtant, ce déni nous rattrape sous forme d'angoisse.

Dans votre propre vie, vous mourez à vous-même et renaissez constamment, n'est-ce pas?

Oui. Je vais vous donner un exemple frappant. En 1999, j'ai eu un accident cardio-vasculaire. J'étais professeur, conférencier et écrivain. J'avais besoin de la parole et, soudainement, je ne pouvais plus m'en servir. Au début, je pleurais facilement. Un ami m'a dit que toutes les personnes de son entourage ayant fait un ACV pleuraient fréquemment. Il me disait qu'il était normal de pleurer. Mais quand je suis revenu vivre dans ma communauté, un infirmier était gêné par ma situation. Il m'a demandé de ne pas pleurer à la cafétéria, d'aller me cacher à l'infirmerie et d'arrêter. Je me suis forcé de cacher mes larmes. Je suis devenu irritable, nerveux, intolérant. Quand je me suis aperçu de cela, je me suis fait pleurer. Je prenais un bon bain chaud et, là, me rappelant des situations tristes, je pleurais. Cela m'a sauvé. Les pleurs sont guérissants, ils renforcent le système immunitaire. C'est prouvé.

J'ai mis une année à retrouver l'usage de la parole. En plus des exercices proposés par l'orthophoniste, j'ai puisé dans mon bagage de connaissances acquises durant mes études doctorales à New York pour m'aider à réussir. J'ai fait de la lecture à haute voix, des exercices de stimulation du cerveau, du *brain gymn*, des visualisations, etc. J'avais confiance dans le fait que je pouvais réapprendre à parler, malgré les sceptiques. J'ai persévéré et j'ai réussi à contrôler mon aphasie.

Si j'ai vécu cette expérience dans la solitude, je l'ai aussi reçue comme une période de retraite et comme une grâce. J'étais conscient de vivre un dépouillement et une purification de mon ego. J'étais aussi conscient d'une émergence de mon Soi. Quand on accepte le dépouillement et le détachement, l'âme émerge. J'en suis convaincu. Cela donne du courage pour accepter la souffrance. En elle-même, la souffrance est inutile. Cependant, la réaction d'une personne à la souffrance va donner un sens à celle-ci et la transformer.

Vous écrivez et donnez des conférences avec un énorme succès. Comment vivez-vous avec ce succès-là?

Aux éditions Bayard, en France, ce sont mes livres qui sont le plus vendus! Cela gonfle mon ego! (*Rire*) J'aurai à vivre un détachement prochain... (*Rire*) Je vis une chance, une opportunité incroyable. Mes confrères n'en reviennent pas. Ils sont exaspérés... (*Rire*) Je suis ordinairement bien reçu mais avec un peu de jalousie. On me trouve étrange. Une fois, un évêque m'a dit: «Ce que tu écris est très léger, ce n'est pas de la théologie!» J'ai ri dans ma barbe. J'aborde des thèmes existentiels qui intéressent les gens: le deuil, le pardon, les groupes d'entraide, l'ombre de la personnalité, la mission, les relations conjugales, la communication. J'essaie d'apporter un salut aux personnes. C'est ma révolution à l'intérieur de l'Église. Plusieurs prêtres ou agents de pastorale me demandent de faire des conférences. Au diocèse de Québec, j'ai donné récemment une série d'ateliers portant sur le sens de la mission. J'ai été très bien reçu.

Vous qui êtes médecin des âmes, avez-vous l'impression d'être guéri?

J'ai une santé physique fragile. Je me sens en paix dans tout cela. Quand je suis fatigué, je m'arrête. Cet arrêt n'est pas perdu; il devient un temps de réflexion et de méditation. Je suis relativement heureux. Mon bonheur, c'est de réaliser ma mission et de voir le nombre de gens qui puisent une aide dans mes conférences et mes écrits.

Je ressens beaucoup de souffrance chez les personnes, mais je constate aussi beaucoup d'espérance et de force pour s'en sortir. Ce qui m'apporte la plus grande joie, c'est de voir que des personnes se guérissent et progressent dans une vie heureuse. Cette constatation apporte un sens à ma prêtrise, à ma paternité spirituelle.

Dans tout cela, le sens ultime de la vie réside dans la découverte de Dieu, ou de la divinité en soi-même. Il faut commencer par soi-même pour ensuite rayonner à l'extérieur. Si on n'a pas réussi à être en paix et à se sentir en communion avec Dieu, on ne pourra pas partager ce bienfait avec d'autres. Dieu est un processus. Je suis en marche vers Quelqu'un qui m'aime, m'attire, m'appelle, et que j'apprends à connaître de plus en plus. Cette démarche se situe au-delà des dénominations religieuses. Il s'agit d'une démarche spirituelle. La spiritualité diffère des systèmes religieux lourds qui, jusqu'à un certain point, cachent la perle qu'ils portent en eux.

Merci, Jean Monbourquette.

Placide Gaboury

Devenir sage n'est pas vieillir…
C'est couler qu'il faut, laisser couler le temps au plus profond
de soi, couler dans la lumière
de chaque instant qui nous est donné.

Pierre Morency

I L Y A UNE QUINZAINE D'ANNÉES, alors que je vivais une période difficile, une amie m'avait dit: «Lis le livre de Placide Gaboury, *Paroles pour le cœur*. Cela va t'aider.» Avec reconnaissance, j'avais alors découvert un auteur capable de toucher la profondeur de l'être dans l'intimité et la simplicité du quotidien. Auteur et conférencier apprécié autant en Europe qu'au Québec, Placide Gaboury a publié une quarantaine de livres sur divers aspects du cheminement spirituel. *Danser avec la vie*, son plus récent ouvrage, porte sur la liberté. Cela n'est pas étonnant. Dès le début de l'entrevue, je me suis aperçue qu'au-delà de toutes considérations pouvant porter sur son enfance, sa vie chez les Jésuites et son travail constant de guide spirituel ou d'éducateur de l'âme, Placide Gaboury est avant tout un homme sage et libre. Le voici partageant avec nous, en toute simplicité, quelques aspects de son cheminement spirituel.

Placide Gaboury, quelles ont été les expériences marquantes de votre cheminement?

D'abord, je suis né en 1928 au Manitoba. J'ai grandi sur une ferme de six-cent-quarante acres. J'aimais beaucoup l'espace à perte de vue qu'on trouve là-bas. J'avais six frères. On passait beaucoup de temps à nourrir et prendre soin des animaux. On avait l'impression de faire partie de leur vie. C'était très beau. Quand venait le temps de les tuer, on n'avait pas honte, car c'était naturel. Les animaux sont forts. Quand on les aime, ils n'ont pas peur de mourir. En même temps, j'étais asthmatique. On ne connaissait rien à ce sujet dans les années 1930. Je passais des heures entières, seul au lit, souffrant et renfermé sur moi-même. Mon père, lui, était un homme solide. J'ai été honni par lui parce qu'incompétent dans les travaux de la ferme. Cela a été très dur. Mon profond besoin d'être autonome et fidèle à moi-même est parti de là. C'était la leçon essentielle que je devais apprendre dans cette vie. J'ai d'ailleurs mis quarante ans à avoir confiance en moi. Le passé engrange des expériences dont on peut tirer des leçons. C'est pour cela qu'on les vit, ces expériences.

J'ai aussi eu des maladies reliées au cœur. J'ai alors appris que ce n'est pas moi qui me guéris. Cela se guérit tout seul. Au plan spirituel, c'est la même chose. La Source me guide. Je ne suis pas le meneur. Il faut arrêter de vouloir contrôler la vie. On doit tout simplement être à son écoute. Tout devient alors, sinon plus facile, beaucoup plus faisable. La perspective change. Le corps devient un instrument privilégié d'apprentissage. On apprend à voir derrière les apparences et on entre dans la conscience spirituelle.

Puis, les Jésuites m'ont mis à la porte en 1983. À cinquante-cinq ans, j'ai vécu une sorte de divorce et me suis retrouvé extrêmement démuni. Bien qu'étant une épreuve réelle, cette expérience m'a permis de reprendre ma vie en main et d'acquérir une authentique autonomie. Il est facile d'être soumis à quelqu'un qui nous dit quoi faire. Cependant, ce n'est pas nécessairement ce que veut l'Esprit en nous. Il revient à chacun de nous de découvrir notre rôle et notre voie. Dans cette perspective, la religion empêche l'autonomie de pensée et d'action. Elle nous unit moins à Dieu ou à la Source en nous qu'à l'autorité extérieure. Étant né dans un monde où existait seulement la religion catholique, je n'avais pas le choix.

Enfant, je voulais devenir un saint. Au collège jésuite où j'ai étudié, j'ai eu un mentor extraordinaire. Je voulais devenir comme lui. Je suis donc entré chez les Jésuites. À l'Université laurentienne de Sudbury où j'ai été professeur pendant douze ans, j'ai fréquenté des membres de la tribu autochtone Ojibway qui enseignaient leur langue et leur mode de vie. Ils n'avaient ni théologie ni prêtres ou évêques. Calmes et avec un bon sens de l'humour, ils étaient en lien avec les gens, les animaux et toutes les créatures. J'ai beaucoup appris à leur contact. Toujours à l'université, j'ai aussi découvert les pensées d'anciens et de modernes qui, ne croyant pas aux religions ou même en Dieu, possédaient en même temps une vision de la vie magnifique. Cela a été très ébranlant pour moi. J'ai alors remis en question ce qu'on m'avait enseigné, en particulier cette certitude de vivre dans la seule religion qui soit bonne et acceptée de Dieu.

La source des religions est toujours la même, soit l'expérience intérieure du divin. La plupart des humains devenus leaders religieux ont vécu de profondes expériences spirituelles. Ainsi en a-t-il été, par exemple, de Bouddha. Or, après sa mort, on s'est mis à l'adorer et on a institué une religion. Aujourd'hui encore, on continue à idolâtrer certains humains. Personne ne peut nous être supérieur. En réaction au contrôle religieux, le Nouvel Âge a créé une ouverture dont on avait besoin. Cependant, on doit trouver soi-même le sens de sa vie. Il ne se trouve pas dans les livres et n'a rien à voir avec l'intelligence intellectuelle. Il se crée, petit à petit, dans une compréhension croissante de nos actes. Il se découvre en allant dans le sens que veut l'âme en nous. Bien sûr, on peut s'ouvrir à l'autre et apprendre de lui. Par contre, le but n'est pas de suivre cet autre mais plutôt de tracer son propre chemin.

Dans cette perspective, comment voyez-vous notre situation humaine en ce moment?

Nos épreuves sont des signes ou des véhicules de leçons. Cependant, je n'ai pas l'impression qu'on veuille apprendre ces leçons. Par exemple, il est important de combattre le terrorisme. Mais de là à penser qu'on pourra ainsi éliminer tous les conflits, il y a une marge énorme. On ne peut pas vivre en se séparant des pauvres. C'est impossible. Chapeautés par les fanatiques de l'Islam, les conflits actuels sont issus de la misère du monde. Celle-ci crie en ce moment. Alors que les États-Unis et l'Occident ont provoqué cette situation avec des invasions, manipulations et exploitations de toutes sortes, ils sont certains d'avoir raison et pensent que leur rêve doit triompher. Ils qualifient alors les autres de méchants, les aident du bout des lèvres et veulent les éliminer quand ils deviennent nuisibles. Cette coupure entre les riches et les pauvres s'agrandit de plus en plus. On ne pourra pas la guérir en continuant d'agir comme on le fait en ce moment.

Je suis en train d'écrire un livre sur la paix et la violence qui s'intitulera *La paix ne peut commencer qu'en nous*. Dans ce livre, je parlerai de l'instinct animal de défense qui est naturel et bon. Cet instinct existe dans tout être humain. Ainsi, notre corps demeure en vie grâce au système immunitaire qui nous protège des virus, microbes ou maladies. Si le système immunitaire cesse de fonctionner, on tombe malade et on meurt. C'est important de savoir cela. Les conflits font partie de la vie. Reconnus et acceptés, ils n'empêchent pas le contact avec les autres, la croissance et la paix. Cependant, la plupart des gens ne veulent pas reconnaître la violence en eux et la projettent sur l'autre. Une violence non reconnue mène au refus de rencontrer l'autre, et même jusqu'au désir de le détruire. Elle mène à la mort.

Quand j'avais huit ans, je me battais avec mon frère. Un jour, nous étions très fâchés l'un contre l'autre ; j'ai pris un bâton et je voulais le tuer… (*Rire*) Cela n'a rien donné, mais l'instinct était là, en moi, et je ne l'ai pas reconnu. J'ai mis des années avant de le découvrir. Avec les épreuves et les difficultés de la vie, on découvre ce qui est au fond de nous. Notre fond est souvent caché, nié ou refusé. C'est l'ombre. Dès qu'on apprend à accepter notre ombre, on commence aussi à créer l'harmonie en nous. Si on reconnaît la violence qui nous habite, on cesse d'en être la victime et on n'est plus mené par elle. On devient alors symbole de paix, parce qu'on a fait la paix avec soi-même. Chacun doit faire ce travail-là. Si on marche pour la paix sans être en paix avec soi-même, cela ne donne rien.

Parlant de violence et de paix, vous touchez à la vie et à la mort. Comment percevez-vous la mort en relation avec la vie ?

La mort est un phénomène naturel, comme disait le philosophe Marc Aurèle. Si on a peur de la mort, c'est qu'on a peur de la nature. La vie et la mort vont ensemble. On est toujours en train de vivre et de mourir. Progressant dans la vie, on avance aussi vers le saut dans une autre dimension. En portant attention à notre vie, on s'aperçoit qu'il existe une force ou une présence plus grande que nous, et qui nous précède. Celle-ci nous permet de vivre. Nous n'avons aucun contrôle là-dessus. En même temps, on sent que cette énergie ne nous écrase pas. Elle fait partie de nous. C'est ce qu'on peut appeler Dieu. On ne peut pas le prouver, mais on peut le vivre constamment. Si on vit un grand amour, on peut en faire part à quelqu'un, mais on ne peut le prouver. Ce qu'on vit échappe aux scientifiques. L'expérience de la mort n'est pas un phénomène scientifique. Le cadavre, par exemple, est un phénomène scientifique uniquement parce qu'il est appréhendé de l'extérieur.

Récemment, j'ai écrit *Le livre de l'âme*, portant sur la mort et les expériences avec l'au-delà. Pour l'écrire, je me suis basé non sur mes croyances mais sur des expériences vécues. J'ai mis trente ans à recueillir ces expériences. Il n'est pas possible que tous ces gens se trompent. Il y a trop de vraisemblance dans leurs témoignages. Depuis environ quinze ans, je suis moi-même en contact avec l'au-delà par l'entremise d'un médium. Habituellement, je ne parle pas de ce genre d'expériences en public, car elles relèvent du domaine ésotérique. Ainsi, mes parents sont morts depuis longtemps. Comme je ne suis pas en contact avec eux, j'ai récemment demandé à mon guide comment ils étaient. Celui-ci m'a répondu : « Depuis que vous leur avez pardonné, ils ont fait beaucoup de progrès. » Là, j'ai appris une grande leçon. Si on est en colère contre quelqu'un et qu'on ne lui pardonne pas, on fait du tort à soi-même et à l'autre, même si cet autre est mort.

Dans tout cela, je ne veux pas montrer que je sais quelque chose. Je veux tout simplement montrer ce que j'ai vécu et ce que j'ai appris à travers cela. D'ailleurs, je doute à chaque jour. Cela m'aide à avancer et à croître. La croissance est essentielle. Si on est capable de croître, on est dans la conscience et dans l'Esprit. C'est la vraie mesure spirituelle. La croissance spirituelle ne consiste pas à monter mais à descendre. Elle se fait dans des expériences concrètes, comme les douleurs physiques, les malentendus ou la perte d'amis. Les situations positives sont aussi porteuses de leçons. Par exemple, la réussite peut devenir un obstacle lorsqu'on ne veut pas s'en détacher.

Dans cette démarche de croissance, où êtes-vous en ce moment ?

Je sens une grande énergie en moi. Je n'ai jamais publié autant de livres en si peu de temps. Dans ceux-ci, je parle de moins en moins au nom des autres pour parler davantage de mon expérience vécue. J'aide les gens à changer leur perspective sur eux-mêmes, à accepter ce qu'ils sont, à s'aimer et à se laisser mener par cet amour ou cette capacité d'être en accord avec la vie. En même temps, je sais que je ne peux pas changer les autres.

J'ai simplifié ma vie. Je vis modestement. N'ayant aucun pouvoir, je me sens plus libre. Je ne sais pas où je vais. J'invente au fur et à mesure. Je vis une très belle aventure. Par exemple, j'aime beaucoup les animaux. J'ai une petite chatte qui est merveilleuse. Elle vit totalement dans le présent. Même si je la pousse loin de moi parce que je dois travailler, elle ne boude pas. Elle se trouve immédiatement quelque chose à faire. C'est une leçon pour nous, les humains, qui quittons toujours l'instant présent pour le passé ou l'avenir. Il est essentiel d'être en contact avec les animaux. Ils ne sont pas nos serviteurs. Ils nous accompagnent dans cette vie, nous montrent que l'Esprit existe. La présence de Dieu est surtout manifeste dans la nature, les animaux, les oiseaux, les plantes, les poissons, de même que dans l'air et l'eau.

Dans tout cela, l'humour est très important. Quand j'étais professeur et jésuite, j'étais très sérieux. Il y a deux ans, j'ai rencontré quelqu'un qui m'a permis de devenir plus créatif, plus rieur, plus joueur aussi. Je deviens comme l'enfant ou le chat qui joue. Je fais le fou. Au lieu de vouloir tout préparer, prévoir et contrôler, je vis intensément ce que j'ai à vivre. Puis je laisse aller. Je ne m'accroche pas au passé. Je suis là, tout simplement, dans l'instant.

Merci, Placide Gaboury.

Marion Woodman

Ô grand-mère Océan,
Matrice profonde, entrailles de toute vie
Que tes pouvoirs puissent couler en nous
Pour le bien de cette planète Terre
Et de tous les êtres vivants sur elle.

RALPH METZNER

Si Carl Jung a reconnu l'existence de l'*animus* et de l'*anima*, principes masculin et féminin en nous, Marion Woodman a poursuivi ce travail et va plus loin encore. Analyste jungienne de renommée internationale, elle a publié une dizaine de livres, dont trois traduits en français, dans lesquels elle explore brillamment la guéri-son, la croissance personnelle et l'intégration de la dimension féminine en nous et dans la société en géné-ral. Née en 1928, à London en Ontario, Marion Wood-man a enseigné à l'école secondaire pendant plus de vingt ans avant de devenir analyste. Son premier livre, *Obésité, anorexie nerveuse et féminité refoulée*, a connu un large succès lors de sa parution originale en 1980. Si elle a maintenant délaissé sa pratique d'analyste, elle n'en continue pas moins son travail à l'échelle individuelle et collective. À la suite du désir manifesté par plusieurs femmes à qui elle offre des ateliers de formation, une fondation internationale portant son nom est en train de voir le jour. Phare, voire prophète de la conscience humaine, Marion Woodman dégage la chaleur, la simplicité et la lucidité d'une femme porteuse de sagesse éternelle.

Marion Woodman, en quoi consiste votre travail avec cette nouvelle fondation ?

J'essaie d'articuler notre réflexion et notre expérience de manière à rendre celles-ci compréhensibles à une culture qui, fondamentalement, ne s'intéresse pas à la dimension féminine. Pour moi, les mots féminin et masculin ne sont pas reliés au genre de la personne. Je les associe plutôt aux mots yin et yang en chinois ou, dans la tradition hindoue, au couple divin Shiva et Shakti. Ce sont deux énergies essentielles à la vie. La féminité, c'est l'authenticité de l'âme, le retour à nos propres entrailles et à notre propre cœur. Les rêves sont le langage de l'âme. Dans nos groupes, nous relions l'imagerie symbolique, les émotions et l'énergie des rêves à notre expression corporelle. Le corps et l'âme ne peuvent être séparés. Ils sont un. Si nous ne travaillons pas avec des hommes, c'est que nous n'avons pas encore intégré l'énergie sexuelle libérée pendant les exercices. Si on veut faire pousser une plante trop vite, on la tue. On doit en prendre soin et la laisser pousser à son rythme. Elle doit être assez forte pour soutenir l'énergie du soleil. Si un enfant se fait dicter une manière de réagir et d'être au monde, il apprend très vite à nier son pouvoir, sa vérité et sa spontanéité. Il se demande plutôt qui détient le pouvoir sur lui. Il apprend à vivre en fonction de ce qu'on attend de lui. Alors, l'âme se voile et s'enterre elle-même. Je travaille avec des femmes qui, à soixante ans, n'ont jamais osé dire leur propre vérité. Il faut mettre du temps avant qu'elles osent s'exprimer vraiment. Ayant dit cela, je crois que les hommes sont encore plus blessés que les femmes. Un homme voulant développer sa sensibilité est constamment matraqué dans notre société.

La véritable masculinité, c'est le feu pénétrant l'énergie féminine et lui insufflant une vie nouvelle. Or nous vivons dans un système patriarcal basé sur le pouvoir. Le patriarcat est une parodie du principe masculin. Il trouve son identité dans le contrôle du corps, des autres et de la Terre elle-même. C'est ainsi qu'il maintient son pouvoir. Le principe féminin est presque complètement annihilé. À cause de ce conditionnement culturel, plusieurs femmes se mentent encore à elles-mêmes et sont devenues des marionnettes du patriarcat. Ainsi, l'anorexie est une manière de dire au corps: «Tu vas faire ce que je veux que tu fasses.» Cela dit, je ne m'intéresse pas à la féminité militante se déchaînant contre les hommes. Cette agressivité est un refus de l'ombre patriarcale en nous. Nous devons intégrer notre propre masculinité.

Les origines de ce travail se situent dans votre propre vécu, n'est-ce pas?

Absolument. Enfant, je me demandais constamment: «Qu'est-ce que Dieu? Qu'est-ce que le vent?» Au début de la trentaine, je me suis sentie de plus en plus éprouvée par Dieu. Je suis devenue anorexique. J'y ai été menée par la culture de l'époque qui prévaut encore maintenant. Pour moi, la minceur représentait la beauté et la sexualité. J'ai commencé à suivre une diète. Puis, je ne pouvais plus manger. Quand on souffre d'anorexie ou de toute autre dépendance, on n'est pas en contrôle de la situation. Ainsi, je n'avais pas la force d'aller danser le soir. Cependant, un terroriste intérieur me disait: «Tu vas y aller.» Les personnes souffrant de dépendance recherchent la perfection. Ces attentes d'un monde meilleur sont accompagnées par le désespoir et la mort. On ne peut pas continuer à vivre sous la tyrannie de la dépendance. La seule échappatoire est la mort. En ce qui me concerne, je me suis finalement demandée ce qui n'allait pas en moi. Quand on est à bout, on peut faire appel à une aide divine pour nous sortir de notre torpeur. Voilà l'abandon. Voilà le principe féminin à l'œuvre. J'ai vécu ce moment crucial en Inde. Je voulais aller dans un *ashram*. Je ne m'y suis jamais rendue. Je suis tombée malade et j'ai failli mourir. J'ai alors vécu un tel lâcher prise que mon terroriste intérieur m'a quittée. Revenue au pays, j'ai enseigné pendant quelques années. Puis mon mari a obtenu une année sabbatique. Nous sommes partis en Angleterre. Là, j'ai commencé une analyse avec E. A. Bennet, un vieil ami de Jung. Cette analyse a été un point tournant pour moi. J'y ai découvert le centre de mon être. Revenue au pays, j'ai enseigné la littérature anglaise pendant encore trois ans, en particulier T. S. Eliot et tous ces grands poètes qui connaissaient très bien la dimension féminine. J'adorais cela. Puis, au milieu de la quarantaine, je suis partie étudier à l'Institut Jung, à Zurich.

Avec le temps, je me suis aperçue que l'anorexie avait été ma façon de me rapprocher de ma féminité. Mon mari est professeur d'université et j'avais projeté en lui l'écrivain, le poète et tout mon lien avec le *logos* ou le verbe. Petit à petit, je me suis rendue compte que je devais retirer mes projections et revendiquer ma propre masculinité. Plutôt que de préparer les notes dans les travaux de mon mari, j'ai commencé à écrire mes propres livres et à apprécier la joie de la créativité. De son côté, mon mari a revendiqué sa propre féminité. Nous n'avons plus projeté d'archétypes, de princes et de princesses, l'un sur l'autre. Au lieu de tomber amoureuse de ma propre image masculine, j'ai pu aimer mon mari en tant qu'autre. Il n'y a pas de limites à une telle relation. On découvre alors toute la beauté de l'être humain.

En tant qu'analyste, comment avez-vous abordé les personnes qui sont allées vous voir?

Je ne me suis jamais centrée sur la dépendance. Si le problème était très sévère, je travaillais de concert avec un médecin. J'étais plutôt attentive à la perte d'âme causant la dépendance. Les personnes dépendantes sont très créatrices mais déversent leur énergie dans une forme pervertie de création. Au lieu d'explorer leur intériorité — *spirit* en anglais —, elles vont vers les spiritueux et l'alcool en général. En remplacement de la douceur maternelle, elles cherchent la douceur du chocolat. Je leur demandais d'explorer leurs rêves par la danse, la peinture, la musique et la poésie. Après un certain temps, elles s'intéressaient moins à la graisse sur leur corps qu'à leur créativité jaillissante. Je me réjouis quand les femmes travaillant avec moi deviennent elles-mêmes. Voilà ce que j'appelle la maternité consciente. Celle-ci donne naissance à la virginité consciente. Le mot vierge signifie l'âme dans son intégrité. Si je n'ai pas eu d'enfant, je suis là pour aider à la naissance des âmes autour de moi. J'ai des enfants spirituels.

À l'instar de la guérison individuelle, comment voyez-vous la guérison de notre humanité en crise?

Il existe un lien intime entre le cheminement individuel et le cheminement collectif. Les événements du 11 septembre 2001 ont une grande influence dans ce processus, en tout cas dans nos groupes de travail. Plusieurs participantes sont des femmes d'affaires new-yorkaises qui ne veulent plus vivre dans la prétention et le superflu. À la recherche de l'essentiel, elles veulent intégrer de nouvelles valeurs dans leur vie. Nous ne pouvons pas léguer une planète empoisonnée à nos enfants. D'ailleurs, si on n'effectue pas de changement majeur, le système écologique va s'effondrer. Dans cela, nous ne sommes pas seuls. L'énergie divine est à l'œuvre. Toutes ces souffrances que nous allons vivre, ces inondations, éruptions volcaniques et autres cataclysmes vont nous amener à lâcher prise et à vivre de manière différente.

Je me rappelle une image suggérée par Nietzsche. Si la crête d'une vague représente la rencontre de la destruction et de la création, au-dessus de cette crête jaillit une étoile dansante. N'est-ce pas merveilleux? En ce moment, nous sommes sur la crête de la destruction et de la création. L'étoile dansante n'est pas encore née.

Dans la tradition hindoue, la déesse Kali accepte la mort au service de la vie. On doit mourir pour renaître. Cela fait partie du principe féminin que notre culture ne veut pas admettre. Si cet éveil est difficile, c'est que nous devons alors faire face à notre propre mal. Personne ne veut faire cela. Nous projetons notre mal sur les autres. Nous devons apprendre à voir le terroriste en nous. En devenant de plus en plus conscient, notre attitude face à la souffrance se transforme. Nous commençons à en découvrir le sens. En ce moment, je crois qu'un courant souterrain émerge. C'est le principe féminin. Une masculinité épanouie et créatrice, non affectée par le patriarcat, naîtra de cette féminité et travaillera de concert avec elle. Ensemble, ces deux énergies donneront naissance à une conscience et à une liberté nouvelles.

Dans tout cela, où en êtes-vous dans votre cheminement?

Il y a quelques années, j'ai eu un cancer. Je me suis alors demandée pourquoi mon système immunitaire s'était retourné contre moi. Mon corps ne voulait plus vivre. Vint un moment où je me suis sentie submergée par la Déesse de la Mort. Plusieurs personnes vivent cela. J'en ai vu qui, lors d'une rechute, ne savaient plus pourquoi ils se battaient. À un niveau plus fondamental de notre conscience réside une profonde douleur provenant de la situation globale actuelle. Voilà pourquoi il me semble que notre système immunitaire flanche. Ce désir de mort est inconscient. Souvent, les gens ne comprennent pas ce qu'est l'inconscient. L'inconscient ressemble à un poisson dans un étang: si on ne le sort pas de l'eau et qu'on ne le mange pas, il restera inconnu dans l'étang. Il faut l'intégrer dans son corps et son âme. Pendant six mois, j'ai travaillé avec mes rêves et mon imagerie intérieure. Devenue consciente du désir de mort en moi, j'ai pu me battre et mettre mon ego au service de la vie. À un moment donné viendra vraiment le temps de mourir. J'espère aborder cette phase de manière totalement différente. Le passage vers la mort est un processus extrêmement créateur. Le corps sait qu'il ne pourra poursuivre le voyage et il s'affaiblit. L'âme recueille son énergie, puis devient plus forte. Quand le corps cesse sa respiration, l'âme est libérée.

En vieillissant, je retrouve l'enfant en moi. C'est une enfant consciente. Par exemple, il y a une magnifique fleur violette sur mon bureau. Ce violet traverse tout mon corps. Mes sens sont encore plus éveillés qu'avant. J'appelle cela le corps subtil. Quand je suis avec des gens, je sens leur âme. Chaque jour est précieux pour moi. Cependant, je ne suis pas totalement heureuse. Ma douleur concernant la situation de la planète n'a jamais été aussi aiguë. Que les humains ne voient pas la beauté du jardin dans lequel ils vivent me brise le cœur ! Je fais tout ce que je peux pour contribuer à cette guérison. Puis, je crois au pouvoir de la prière. Encore une fois, l'énergie divine est présente en ce moment. Si nous pouvons travailler avec Elle, nous passerons à travers cette difficile transition planétaire. Nous n'en verrons pas les fruits de notre vivant. Cependant, je suis animée par une immense foi, par l'espérance et la compassion. La plus grande des trois, c'est la compassion. C'est l'amour.

Merci, Marion Woodman.

Julia Kristeva

Ne recherchez pas les profondeurs
de votre connaissance avec perche ou sonde.
Car le moi est une mer sans limites et sans mesures.

KHALIL GIBRAN

Considérée comme l'une des plus grandes intellectuelles de notre époque, Julia Kristeva est psychanalyste et professeur de linguistique à l'Université Denis Diderot, à Paris. Liant la recherche littéraire à la psychanalyse et aux sciences humaines, elle a publié une œuvre théorique et romanesque maintenant traduite dans une trentaine de langues. Son plus récent ouvrage, *Le génie féminin*, explore la vie et l'œuvre de trois femmes ayant marqué le XXe siècle : la philosophe Hannah Arendt, la psychanalyste Melanie Klein et la romancière Colette. On ne s'étonnera pas si l'entrevue qui suit porte avant tout sur la dimension à la fois intime et collective du féminin.

Julia Kristeva, où en êtes-vous maintenant que votre trilogie, Le génie féminin, *est complétée ?*

Je suis contente d'avoir mené une interrogation à la fois personnelle, politique, historique et morale. À travers ces femmes, c'est moi-même que j'ai interrogée. Je me sens en transition, une transition dans laquelle je suis entrée en explorant d'abord le travail théorique d'Hannah Arendt, puis psychanalytique de Melanie Klein et, enfin, l'écriture plus intime de Colette. Si ma vie personnelle et la situation politique me le permettent, je vais maintenant me déplacer vers des choses plus intimes, comme la fiction et le roman. Colette, en quelque sorte, m'y invite. D'ailleurs, j'ai été invitée dans mon pays natal, la Bulgarie. J'espère y visiter les lieux de mon enfance. Cela va me réconcilier encore mieux avec le roman.

Est-ce dans votre enfance que se situent les origines de votre cheminement?

Je n'ai pas cette vision des choses. Je ne pense pas que l'origine détermine tout. Elle compte, bien sûr. Pour plusieurs, l'origine est une fatalité qui les emprisonne. Cependant, on se construit constamment. J'ai eu la chance d'être stimulée par mes parents et mon éducation. J'ai pu dépasser cette fatalité et la transformer de manière continue. J'ai l'impression d'avoir passé beaucoup de seuils qui ont été à la fois des mises à mort et des renaissances. Quand j'ai quitté la Bulgarie, je suis arrivée dans une France qui était à la veille de mai 68. Il m'a semblé avoir beaucoup appris de cette culture française en pleine ébullition. Quand, plus tard, je suis allée enseigner aux États-Unis, j'ai découvert un autre monde, une autre manière de vivre la sexualité et la liberté. J'ai essayé d'intégrer cela et d'apporter ma vision aux américains qui m'ont bien reçue. Quand j'ai fait mon analyse, j'ai découvert une autre personne en moi-même. J'ai essayé de lui donner sa théorie et sa compréhension. Tout cela fonctionne par couches successives et enrichissement réciproque. J'étais très contente de trouver cela chez Colette. Celle-ci parle d'une temporalité, peut-être spécifiquement féminine, qu'elle appelle l'éclosion. Elle dit qu'une femme renaît à chaque fois qu'elle retrouve de nouveaux amours et s'arrache à sa terre natale. Je pense être un peu comme ces femmes qu'elle décrit.

Pour vous, le féminin est fondamental?

Oui, à condition de pouvoir dire ce qu'il est. Le féminin est changeant et difficile à cerner. À partir des femmes que je vois sur le divan et d'analyses de textes ou d'histoires personnelles, j'ai essayé de comprendre ce que j'appelle la psycho-sexualité féminine dans sa généralité. En même temps, je ne veux pas enfermer les femmes dans des généralités. Je suis attentive à la poésie de chacune, à leur singularité. Chacune façonne son identité sexuelle à partir de rencontres et d'épreuves. Cela est très important dans la créativité de la personne. Si une femme en arrive à cette composition singulière, elle trouve alors son génie personnel. Pour les hommes, cela existe depuis des siècles. La singularité du génie masculin a été poussée à l'extrême. Chaque grand créateur, maître à penser ou maître d'art est une extravagance. En plus, on a essayé de circonscrire le féminin dans la passivité, la sensualité ou la maternité. On a beaucoup de mal à sortir de cette image communautaire. Maintenant, on parle de la condition féminine. À nouveau, on englobe les femmes dans des clichés généraux. Bien sûr, il existe des conditions économiques et politiques générales à toutes les femmes qu'il faut remuer, même faire exploser tellement ce sont des pesanteurs. Cependant, on a du mal à parler du génie féminin. Parfois, des hommes me disent : «Croyez-vous que le génie féminin existe?» Je me demande pourquoi ils sont si réticents à l'admettre. Je regarde alors leurs compagnes et je constate qu'elles sont souvent des objets sexuels ou des mères. Les hommes ont beaucoup de difficulté à considérer leur partenaire comme un individu singulier et peut-être génial. Ils le vivent encore comme une castration et une épreuve. En ce qui me concerne, j'ai eu la chance d'être entourée d'hommes créateurs et tolérants. Je suis persuadée que ce n'est pas toujours facile pour eux, en particulier pour mon mari et mes amis. Je préfère ne pas en parler. Cela relève de l'intime et je pense qu'on doit conserver cela pour soi-même, ou l'aborder indirectement dans les romans.

Vous avez beaucoup écrit sur la maternité. Vous sortez d'ailleurs celle-ci des ornières dans lesquelles on a pu l'enfermer, non ?

Il me semble que les femmes n'ont pas beaucoup parlé de la maternité parce que la création professionnelle a été, pour elles, une manière de s'en échapper. Si elles en ont parlé, ça a souvent été en décrivant l'enfant ou en exprimant de manière un peu stéréotypée les joies et les affres de cette maternité. Grâce à la psychanalyse, on peut entrer dans les détails de cette relation extrêmement complexe pour l'enfant et la mère. C'est d'abord une folie à deux, une grande adhésion, une tendresse, une oblativité, et en même temps une grande cruauté, une grande violence. C'est une passion dont il faut se déprendre. L'évolution optimale de la maternité se trouve dans ce que j'appelle le « dépassionnement ». La mère doit devenir plus sereine. Elle doit se détacher de cet amour primordial envers l'enfant, laisser à celui-ci le maximum d'autonomie et se donner de l'autonomie à elle-même. Parfois, elle le fait trop brutalement, ce qui la rend coupable. Parfois, elle le fait de manière extrêmement frustrante pour elle-même et cela génère de la mélancolie. C'est très difficile d'accomplir cela dans la vie stressante du monde moderne.

Avec Catherine Clément, vous avez écrit une livre intitulé Le féminin et le sacré. *Quelle est la part du spirituel en vous ?*

Je ne suis ni croyante ni nihiliste. Je pense que la dimension sacrée, ou la transcendance, se trouve en nous. C'est le sens qui nous constitue. Ce sens est infini. Il se situe au carrefour des sensations et des mots, de la théologie et de la culture. Il faut l'approcher aussi bien par la sensation que par l'intellect. Tout mon travail d'analyste et d'écrivain va en ce sens. Je pense aussi qu'une mère est très proche de cela dans l'éducation de ses enfants et dans sa propre expérience.

Dans *Le sacré et le féminin*, j'ai parlé de la Vierge Marie parce qu'il s'agit d'un mythe constituant notre culture. Il serait dommageable de l'évacuer sans comprendre pourquoi il fascine et ce qu'il apporte à tant de peintres et, encore, à plusieurs femmes. C'est une construction complexe dont nous n'avons pas d'équivalent aujourd'hui. Nous n'avons pas de discours culturel sur la maternité. Nous avons un discours technique sur les couches-culottes et les biberons, de même que quelques conseils éducatifs. Nous avons la psychanalyse, mais combien de femmes y ont accès? Nous pouvons aussi dire qu'il est difficile d'être mère et d'avoir une profession en même temps. Cependant, quelle est cette psychologie féminine se dispersant entre le lien maternel, l'érotisme et le professionnel? Sur cela, il n'y a rien. Tant que nous n'aurons pas compris ce que la religion a dit à ce sujet, que nous n'aurons pas exploré la tangente moderne de la culture féminine et n'aurons pas construit un discours là-dessus, nous resterons toujours exposés à ce que des femmes régressent, par exemple, dans des sectes ou cultes antiques.

Vous avez dit que ce nouveau siècle sera féminin…

Oui, pour le meilleur ou pour le pire… (*Rire*) En ce moment, cette moitié de l'humanité fait son entrée sur la scène économique et politique. Elle va peut-être répéter les mêmes acquisitions et les mêmes erreurs que les hommes, ou apporter un enrichissement de la culture. J'ose penser que nous irons dans la deuxième direction. En ce moment, notre société est en crise. Non seulement le terrorisme le démontre, mais aussi le désenchantement vis-à-vis des démocraties, le fait de ne pas s'intéresser à la politique jugée corrompue et, du coup, le repli dans l'individualisme. En même temps, nous sommes une civilisation qui porte un regard lucide sur elle-même. Nous avons beaucoup de ressort. Je pense que nous vivons un moment qui va être dépassé. Cela dit, il faut mobiliser les forces et ne pas se plaindre. Il faut étudier l'histoire et ne pas tirer de conclusions optimistes trop rapidement. Ainsi, il faut considérer le poids du religieux sur l'histoire politique au Moyen-Orient. Il faut examiner ses conséquences psychologiques et sexuelles, par exemple la jouissance des hommes qui répriment les femmes, et particulièrement celle des islamistes qui meurent dans les attentats en écartant toute considération sur le féminin. En voulant comprendre, on peut cependant entrer dans la complaisance. Je vois cela en France. On ne se permet aucune critique parce qu'on a peur de ne pas être *politically correct* et de se montrer trop occidentaliste.

Dans cette situation, l'attitude thérapeutique me paraît la meilleure. La compréhension de soi-même et de l'autre nous achemine vers un monde de respect. Les femmes sont bien préparées à cela. On peut comprendre l'autre, sa souffrance, ses jouissances, sa parole et son corps. On peut concrètement soulager la misère des Palestiniens qui souffrent et celle des Juifs qui se sentent incompris mais qui, très souvent, se mettent dans des positions de donneurs de leçons et d'occupants que le reste du monde ne comprend pas. On peut pratiquer la politique de la main tendue vers ceux qui se sentent exclus, de même que la négociation et le dialogue. Nous avons du mal à faire cela parce que le dogmatisme est exacerbé en ce moment.

Vous liez l'intellect et les sens, l'intime et l'universel, de même que les diverses disciplines. N'incarnez-vous pas cette nouvelle conscience holistique vers laquelle on tend?

Je ne sais pas si cette expression me convient mais je vais dans ce sens. Parfois, on dit aussi que je suis féministe. Je réponds : « Non, je ne suis pas féministe, je suis scotiste. » Je me réfère alors à Duns Scot, ce philosophe d'Oxford qui, au versant du xviiie et du xixe siècle, a insisté sur la singularité. C'est ce que j'ai essayé de faire dans *Le génie féminin* où j'ai exploré la singularité de chacune de ces femmes. Je pense aussi que nous ne pouvons pas envisager de démocratie de la masse. Les démocraties sont formées non par le culte de l'individualisme mais bien par des singularités établissant des liens entre elles. Là se trouve le modèle des démocraties à venir.

En ce moment, je suis davantage en paix avec moi-même. Je me sens capable de me tourner vers le passé, par exemple vers l'impossibilité de constituer une Europe depuis le temps des Croisades jusqu'à aujourd'hui. À partir de cette réflexion, j'essaie d'envisager une harmonie possible du monde européen faisant contrepoids aux différents dogmatismes se confrontant dans le monde. Toutefois, cela est loin d'être assuré. Plus personnellement, je prépare ce voyage dans mon pays d'origine. Comme je l'ai dit plus tôt, j'espère repasser sur les lieux que mon père et moi avons visités quand j'étais enfant. Ma mère est encore vivante. Elle a quatre-vingt-quatre ans. Nous ferons peut-être cette visite ensemble. À l'époque, mes parents ont vécu plusieurs déceptions et n'ont pu réaliser certaines ambitions parce qu'ils n'étaient pas communistes. Cependant, j'ai toujours été soutenue par eux et j'ai reçu une solide structure qui me permet de voyager dans le monde.

Quand on parle de vous comme de l'une des plus brillantes intellectuelles du siècle, comment réagissez-vous?

Je ne me reconnais pas en cela. Encore une fois, je suis une voyageuse. C'est trop brillant pour toute la poussière que j'ai accumulée en chemin et que j'espère continuer à ramasser...

Merci, Julia Kristeva.

L'AIR

Robert Keck

Celui qui va jusqu'au bout de son cœur
connaît sa nature d'homme.
Connaître sa nature d'homme,
c'est alors connaître le ciel.

Mencius

Robert Keck a enseigné récemment à la University of Creation Spirituality, à Oakland en Californie, où je prépare un doctorat en spiritualité pratique (Doctor of Ministry). Doté de connaissances remarquables, il intègre celles-ci à son vécu et à son cheminement spirituel. Il incarne ce qu'il préconise dans son discours, soit que l'humanité est en train de mourir à une conception du monde en plusieurs parties séparées pour naître à une nouvelle conscience de l'unité du tout.

Ancien pasteur et docteur en philosophie de la santé, Robert Keck a écrit trois livres, dont deux, *Sacred Eyes* et *Sacred Quest,* se veulent une exploration à la fois intime et universelle de l'âme humaine depuis trente-cinq mille ans. Aussi professeur à la Graduate Theological Union, à Berkeley en Californie, cet homme intègre et généreux partage avec nous la démarche holistique de sa pensée et de sa vie.

Robert Keck, si je vous demandais de vous présenter, que diriez-vous?

Je suis un pèlerin de la vie. Avant tout, je désire grandir, apprendre, comprendre et aimer. Plus particulièrement, j'essaie d'entendre l'appel de mon âme et d'y répondre. Je me suis toujours investi de façon entière dans mon travail, mais j'ai parfois changé radicalement de direction. Je fais en sorte que mon travail reflète le mieux possible mon cheminement intérieur.

D'où vient tout cela? D'abord, j'ai été élevé dans un environnement religieux typique du Midwest américain.

Mes parents allaient à l'église et étaient moralement conservateurs, mais intellectuellement libéraux. J'ai été encouragé très tôt à exprimer librement mes idées. Cependant, j'ai mis plusieurs années à situer les origines de mon cheminement dans ma tendre enfance. Un jour, j'ai vécu une expérience mystique qui s'est révélée un point tournant dans vie. Mes parents m'ont alors fait part d'une expérience qu'eux-mêmes avaient vécue juste avant ma naissance. À ce moment-là, il leur était apparu clair qu'ils élèveraient leur enfant de manière à ce que celui-ci non seulement découvre l'Amour, mais aide l'humanité dans la découverte de cet Amour. Durant mes jeunes années, mes parents ne m'ont jamais parlé de cette expérience, ce qui démontre leur sagesse et leur amour. Ils n'ont pas cherché à contrôler ma vie et m'ont constamment supporté dans ma voie.

Quel est ce point tournant qui a changé le cours de votre vie ?

En fait, il y en a eu deux. J'ai vécu le premier, celui que je viens d'évoquer, alors que j'avais vingt-deux ans. Passionné par l'athlétisme, je devais choisir entre deux contrats professionnels, l'un en baseball et l'autre en football. Soudainement, j'ai ressenti quelque chose en moi de très puissant. Je n'ai pas eu de vision au sens traditionnel du terme. Je n'ai entendu aucune voix. J'ai plutôt vécu un retournement dramatique et radical. En un instant précis, j'ai su que j'allais devenir pasteur, que j'allais essayer d'apprendre la justice et l'amour. Il est très difficile d'utiliser le langage traditionnel pour décrire ce qui s'est passé en moi. Suis-je né à nouveau à ce moment-là ? En un sens, je dirai que oui, car je suis devenu une autre personne à la suite de cette expérience.

Devenu pasteur, j'ai commencé à souffrir de la poliomyélite que j'avais eue enfant. Au début de la trentaine, je n'étais plus un athlète mais un infirme souffrant énormément. J'ai consulté des médecins dans les principaux centres médicaux américains. Tous m'ont dit que je devrais passer le reste de mes jours dans un fauteuil roulant, que je devrais prendre des médicaments pour atténuer la douleur. On m'a présenté une perspective totalement désespérante de l'avenir. En état de crise, j'ai commencé une exploration hors du paradigme médical traditionnel. Je me suis intéressé à la synergie du corps, du cerveau et de l'âme, plus particulièrement aux techniques psychosomatiques alors émergentes, comme le *biofeedback*, en intégrant celles-ci à d'autres, très anciennes, comme la méditation et la relaxation. Lors d'une méditation profonde, un jour, je me suis senti libéré de la douleur. Cette expérience a été une véritable métamorphose pour moi. J'ai alors éprouvé une grande curiosité intellectuelle à ce sujet. De cet intérêt est aussi née une compassion pour les autres personnes souffrant de douleurs graves. Je me disais que si je pouvais comprendre les causes de cette métamorphose, je pourrais aider les autres. Cette expérience a marqué un autre point tournant dans ma vie. Si depuis l'âge de vingt-deux ans j'avais toujours envisagé ma vie comme un ministère, j'ai senti à ce moment, que ma plus grande contribution allait résider non dans le fait d'être pasteur, mais dans la guérison.

Explorant ce nouveau paradigme dans notre compréhension de la santé et de la maladie, j'ai découvert que les historiens culturels, partout sur la planète, parlaient de notre époque comme d'une période de transformation dramatique et radicale dans l'histoire humaine. Je suis devenu encore plus curieux. Était-ce possible qu'une nouvelle perception des choses en médecine soit le microcosme d'une transformation beaucoup plus globale? J'ai entrepris une recherche sur les valeurs humaines fondamentales, ce que j'appelle en anglais

Deep Value Research, de même que l'écriture de deux livres intitulés *Sacred Eyes* et *Sacred Quest.*

Quels sont les principaux jalons de votre recherche ?

Alors que l'ADN détermine nos composantes physiques fondamentales, j'ai voulu explorer ce que j'appelle l'ADN de notre psyché ou de notre âme, soit les causes premières de notre perception de nous-mêmes et du monde, de nos pensées et de nos actions. J'ai voulu comprendre comment certaines cultures sont devenues dominantes dans l'histoire. À l'instar des historiens culturels, je me suis rendu compte que, dans cette époque qui est la nôtre, un système fondamental de valeurs se meurt pendant qu'un autre est en train d'émerger. J'ai voulu connaître l'origine de ce système de valeurs agonisant et ce qui l'avait précédé. Ceci me ramena trente-cinq mille ans dans le passé, puisque c'est de cette période que subsistent les premières traces tangibles d'un système existant.

Ainsi, considérons la relation de l'humanité avec la nature. Pendant les premiers vingt-cinq mille ans, ou ce que j'appelle l'Époque I, nous vivions unis à la nature. Nous percevions celle-ci comme une incarnation de l'esprit ou de la divinité. Puis, il y a dix mille ans, nous avons inventé l'agriculture et la domestication des animaux. Nous sommes alors entrés dans l'Époque II. Nous nous sommes séparés de la nature et avons considéré celle-ci comme une simple ressource pouvant être utilisée à nos fins. Nous nous sommes donnés le droit d'utiliser, de contrôler et d'abuser tous les aspects de la nature. Nous sommes devenus anthropocentriques. Cependant, un changement majeur se produit en ce moment. L'Époque III est en train d'émerger. En publiant en 1962 son livre *Silent Spring,* Rachel Carson commença à éveiller notre conscience au fait que nous affections notre environnement de manière négative et pathologique. Elle fut alors rejetée par à peu près toute la communauté scientifique. Trente ans plus tard, mille sept cents scientifiques de soixante et onze pays, dont plusieurs lauréats du prix Nobel, se sont rencontrés pour étudier le lien de l'humanité avec la nature. Ils ont affirmé que nous ne pouvions pas continuer à vivre tel que nous le faisions en ce moment, sans quoi nous allions détruire tous les systèmes vivants. Maintenant, nous pouvons voir plusieurs manifestations de cette nouvelle conscience partout sur la planète. Nous sortons de l'anthropocentrisme. Nous ne sommes pas la seule raison pour laquelle la Terre existe. Nous faisons partie d'un tissu écologique très complexe et plus vaste que nous. On ne peut tuer aucun aspect de cette écologie sans que tout le reste en souffre. Tout est interrelié. La célèbre romancière et activiste Alice Walker a dit : « La nature est l'équivalant spirituel de l'oxygène. » Voilà une brève mais merveilleuse déclaration ! Pour notre croissance et notre développement, il est essentiel de renouer notre lien avec la nature. Il ne s'agit pas de retourner dans le passé, mais plutôt d'intégrer celui-ci dans une nouvelle manière d'être au monde. Pour cela, j'utilise la métaphore de l'évolution individuelle. En quittant l'adolescence et en devenant adulte, on ne peut redevenir enfant. Cependant, on peut retrouver certaines qualités de l'enfance et les intégrer de manière différente et nouvelle.

Comment vous sentez-vous dans cette transition majeure, vous qui vivez dans un pays incarnant par excellence les valeurs de l'Époque II ?

Je suis un optimiste modéré. En général, la vie tend vers une plus grande maturité et une plus grande complexification. Si on regarde l'évolution humaine depuis les débuts, je crois que nous allons dans la bonne direction. Si nous nous réveillons assez tôt et coopérons avec l'énergie évolutive, nous aurons un meilleur avenir. En même temps, je ne veux pas trivialiser la sévérité des tragédies et des défis auxquels nous faisons face en ce moment. Les événements du onze septembre 2001 en sont un exemple. En même temps, plein de choses terribles se passent dans divers coins de la planète. Dans un contexte plus vaste, je me suis aperçu que la propension à la violence dans l'humanité remonte à environ huit mille cinq cents ans. Avant cela, il n'existe aucune évidence de sacrifices humains ou animaux, de guerres ou d'armées. Selon moi, la violence s'est inscrite dans l'avènement des valeurs propres à la deuxième Époque. On a alors tout séparé : le Ciel et la Terre, le divin et l'humain, l'humain de la nature, de même que le bien et le mal. On a aussi divisé l'humanité en races, etc. Voyant tout séparément, on a considéré l'autre comme totalement séparé de soi. On a aussi construit un ordre hiérarchique plaçant le bien en haut dans le Ciel et le mal en bas sur la Terre. Ainsi, les pilotes suicidaires du World Trade Center croyaient aller au Ciel en détruisant le mal. Nous étions les infidèles et eux les protecteurs de la foi. En retour, nous, aux États-Unis, faisons la même chose envers eux. Nous les considérons comme l'incarnation du mal. Notre pays a pourtant lancé une bombe sur Hiroshima et Nagasaki qui a tué beaucoup plus d'innocents civils que les événements du 11 septembre 2001. Nous avons une bien courte mémoire pour penser que nous sommes totalement bons et que les autres sont méchants. Nous nous croyons séparés des autres. Nous ne sommes pas encore sortis de l'Époque II. Nous vivons une période dramatique de transition en ce moment. Ceux favorisés par un système en place depuis dix mille ans ne vont pas laisser aller celui-ci facilement. Ils essaient donc à tout prix de le maintenir en vie, même s'il a fait son temps et doit mourir.

Comment reliez-vous votre vision des choses à votre vie quotidienne?

Si j'essaie de comprendre l'âme humaine, c'est pour vivre de la manière la plus intègre possible dans le monde actuel. J'essaie d'incarner les valeurs émergentes. Ainsi, j'ai vécu les premiers soixante ans de ma vie en milieu urbain. Pour vivre un lien réel avec la nature, je suis déménagé en 1995 avec ma femme dans les montagnes du Colorado, près des animaux sauvages. Aussi, j'ai essayé de vivre de manière holistique avec la maladie et la santé. Quiconque souffre de douleur chronique peut se sentir très seul. Tel que je l'ai expliqué plus tôt, j'ai alors exploré le lien entre l'esprit et le corps. La nutrition, la méditation, l'exercice, de même que l'amour donné et reçu affectent toute l'expérience de la douleur. Plus je porte attention à ce qui est, plus je me rapproche de la nature et me laisse porter par son rythme, plus je peux aimer mes proches et recevoir leur amour, mieux je peux vivre avec la douleur chronique.

J'essaie de vivre toutes les émotions pleinement. C'est cela, pour moi, être humain. Si je suis optimiste, je peux aussi connaître les profondeurs du désespoir. Je suis sensible à la dimension tragique de la vie. Quand il m'est possible d'alléger la souffrance autour de moi, je le fais. En même temps, je ne peux porter le monde sur mes épaules. À soixante-huit ans, je sais que j'ai fait de mon mieux dans la vie. Si j'ai fait des erreurs, je n'ai aucun regret ou culpabilité. Je me sens en paix. Cela dit, je ne suis pas encore prêt à lever les pattes et à partir en douce… (*Rire*) Si je peux contribuer au soulagement de la souffrance, à la joie et au sens de la vie autour de moi, c'est que j'ai encore du travail à faire ici.

Merci, Robert Keck.

Thierry Pauchant

Et qu'est-ce que travailler avec amour?
C'est mettre en toutes choses que vous façonnez
un souffle de votre propre esprit...

KHALIL GIBRAN

Professeur titulaire à l'école des Hautes Études commerciales, Thierry Pauchant publiait, en 2000, *Pour un management éthique et spirituel*. Dans ce livre, des dirigeants d'entreprise et des experts expriment un besoin pressant de donner au travail un sens allant au-delà du profit matériel et de l'estime de soi. Pour Thierry Pauchant, ce besoin s'inscrit dans l'évolution même de notre société et de l'humanité en général. À la fois passionné et rigoureux dans sa démarche, il a bien voulu nous entretenir du lien qu'il établit entre la spiritualité, les affaires et la quête de sens.

Thierry Pauchant, vous dites que notre société traverse une crise de sens...

Je ne suis pas le seul à parler de crise de sens. Au Canada, au Québec et en France, une quarantaine d'ouvrages ont été récemment publiés à ce sujet en sociologie, en psychologie ou en économie. L'une des raisons de cette crise se trouve dans la course effrénée que l'on vit tous. L'avènement du deuxième millénaire n'amène pas le paradis sur Terre auquel on s'attendait. Ce en quoi nous avons placé nos espoirs, comme l'économie, l'industrie ou la technologie, n'apporte pas le bonheur désiré. Nous vivons donc une sorte de désenchantement. Alors, nous essayons de trouver quelque chose d'autre.

Cette crise de sens se manifeste de diverses manières. Au Québec, les maladies professionnelles, dépressions et autres troubles, ont augmenté de deux cent vingt pour cent dans les trois dernières années. Certaines personnes ne disent rien, mais elles dépérissent petit à petit. On appelle cela un écrasement de la personne dans les organisations. D'autres, se disant qu'elles ont un travail à faire, mettent de côté une partie d'elles-mêmes ou tentent de la retrouver ailleurs. Ces personnes vivent en dichotomie, séparées en deux.

Or la définition de la spiritualité par les gestionnaires est justement de mettre fin à la « compartimentation » de leur personne. Ceux-ci ne veulent plus être, d'une part, un bon père de famille, quelqu'un ayant des valeurs spirituelles et morales et, d'autre part, un économiste strict et sévère au sein de leur entreprise. Ils veulent une vie intégrée. Selon certaines études, au moins quinze pour cent des gens, toutes professions confondues, veulent changer et font une démarche en ce sens.

En fait, il y a trois manières de répondre à une crise de sens. Premièrement, on peut acquiescer au renforcement de l'orthodoxie : on accomplit plus vite ce qu'on faisait avant, et on en fait davantage. Deuxièmement, il y a l'échappatoire. On peut se convertir au Nouvel Âge, se mettre des chandelles dans les oreilles, ou encore entrer dans des sectes comme l'Ordre du temple solaire. Cela peut même aller jusqu'à la criminalité. Troisièmement, on peut faire l'apprentissage profond d'une transformation. Dans ce processus, on ne peut plus ne pas changer. On suit son destin.

Cette troisième tendance, reflétée par les quinze pour cent dont vous parliez plus tôt, indique-t-elle l'avènement d'une nouvelle conscience dans la société ?

Les niveaux de conscience des civilisations changent au bout de mille ou de deux mille ans. Maintenant, en l'an 2002, nous avons accompli d'énormes progrès dans les arts, les humanités, les lois sociales et la conscience humaine. Tout cela va-t-il changer demain ? Ma réponse est non. Mais l'histoire nous enseigne que nous devons nous mettre en route aujourd'hui pour que l'évolution se fasse.

En relation plus spécifique avec le travail, je lis Simone Weil, entre autres auteurs, depuis longtemps. Inspiré par son œuvre, je définis le travail de quatre manières. Généralement, on voit celui-ci comme un emploi économique. On peut aussi le voir comme un labeur ou une fonction physiologique. Par exemple, si on n'a pas de maison pendant l'hiver, on meurt. Le labeur se révèle donc fondamental. On peut aussi considérer le travail comme une œuvre ou une fonction psychologique et sociologique. On accomplit alors quelque chose apportant un statut et de l'estime de soi. Finalement, on peut lui attribuer une fonction spirituelle, c'est-à-dire qu'on considère le travail comme une vocation.

On peut relier toute cette typologie à l'évolution dont je parlais plus tôt. Dans notre société, on parle surtout du travail comme emploi. On a oublié le travail comme labeur, on en parle un peu comme œuvre et pas du tout comme vocation. Mais cela commence à changer.

Comment la dimension spirituelle du travail s'est-elle manifestée en vous ?

Avant de vous répondre, j'aimerais définir les mots éthique, religion et spiritualité. L'éthique provient d'un groupe diversifié de personnes réfléchissant à quelque chose et décidant entre le bien et le mal ; la religion est l'institutionnalisation d'une spiritualité par un groupe, l'Église catholique par exemple. Quant à la spiritualité, elle représente pour moi un contact direct de la personne avec le métaphysique, le transcendant ou le divin. Cela signifie la diminution progressive du narcissisme ou le décentrage de soi, du groupe et de la culture, pour en arriver à une ouverture au monde, au cosmos et, j'y reviens, au divin.

J'ai été directeur d'un grand hôtel à San Francisco. Un jour, je me suis demandé ce que je deviendrais dans cinq ou dix ans. Je serais peut-être directeur d'un hôtel de mille deux cents chambres, puis de trois hôtels de mille deux cents chambres. Tout cela m'est apparu absurde. En pleine crise de conscience, je me suis dit que je ne pouvais pas continuer ainsi. J'ai cherché un sens à ma vie ou, pour reprendre une expression existentialiste, l'authenticité.

Dès lors, j'ai entrepris une démarche à la fois spirituelle et intellectuelle. Comme je me trouvais en Californie, j'ai essayé différentes voies spirituelles pour revenir à la tradition dans laquelle j'ai été élevé, la tradition chrétienne. En même temps, je me suis dit que si je voulais faire un changement, il fallait aller là où les choses se passent et où le besoin est le plus grand, c'est-à-dire dans le milieu des affaires. J'ai donc fait un MBA, puis un doctorat.

Vous travaillez à ce changement de manière audacieuse et prudente à la fois...

Depuis quinze ans, je m'intéresse aux crises, celle du verglas ou d'autres. Le fondement de toute gestion des crises réside dans l'éthique appliquée. Tout de suite, on considère la vie et la mort. Par conséquent, mes décisions seront celles qui pourront sauver des vies humaines. À l'inverse, le géant américain Firestone a omis de rappeler des pneus mal conçus qui ont causé des accidents et des morts. Cela est absolument inadmissible et contraire à l'éthique. Je me suis aussi intéressé à l'existentialisme, la porte entre un état de conscience ordinaire et le transpersonnel, ou le spirituel. C'est là que la quête de sens se pose. Si on va de l'avant dans cette voie, on continue vers le transpersonnel. En ce moment, je navigue dans le transpersonnel et le spirituel de plein fouet.

Je ne suis pas le seul. Entre quatre vingt et quatre-vingt-dix pour cent des gestionnaires réclament une intégration des valeurs éthiques et spirituelles au travail. L'Academy of Management, organe des écoles d'affaires aux États-Unis, a fondé un groupe de réflexion qui s'appelle Management, Spirituality and Religion. En Californie, des écoles de commerce commencent à enseigner ce sujet parce que la demande est très forte.

Mais attention ! Dans une entreprise, et surtout dans une entreprise privée, le danger est énorme. Les dirigeants exercent un contrôle puissant sur les gens par la structure, la définition des tâches et les salaires. C'est encore pire s'il y a un seul propriétaire et s'il n'existe pas de contre-pouvoir, de syndicat ou de conseil d'administration indépendant. Il ne faut pas que les entreprises soient responsables de la spiritualité des gens. Ce n'est pas leur rôle. Elles doivent néanmoins permettre l'expression de la spiritualité.

On a donc fondé un groupe de recherche, aux HEC, pour étudier de manière plus systématique comment la spiritualité est appliquée dans le monde des affaires.

Comment percevez-vous la jeune génération ?

Il y a trois ou quatre ans, on a fait une enquête auprès des étudiants du baccalauréat, leur demandant pourquoi ils avaient choisi d'étudier aux HEC. On s'attendait à ce qu'ils privilégient le prestige et l'argent ; ils ont pourtant placé ces notions en sixième et en septième positions. Ils ont affirmé qu'ils désiraient d'abord une vie équilibrée, le bonheur et l'amour. On s'est gratté la tête et on s'est demandé quels cours, aux HEC, traitent réellement de bonheur et d'amour !

Je souhaite qu'on en parle. S'il n'est pas question de bonheur et d'amour des employés dans une entreprise, celle-ci devient une prison ou un goulag. Heureusement, nos entreprises ne sont pas fermées à ce point. Ceux qui ne sont pas du milieu des affaires voient souvent celui-ci noir et satanique, avec l'establishment et les multinationales qui gouvernent le monde. Mais, en général, les gens d'affaires essaient d'avoir une vie honnête tout en faisant un boulot intéressant. Le problème, c'est que notre culture ne nous donne peut-être pas suffisamment de repères.

Comment percevez-vous le phénomène de la mondialisation?

Je le vois en même temps de façon négative et positive. Les multinationales sont en train d'effacer les frontières. Ce processus existe depuis la nuit des temps : on a commencé par passer de la tribu au village, puis du village à la ville, à la nation, à l'empire, au continent. Nous en arrivons maintenant à la planète. Les multinationales prolongent cette tendance à l'élargissement. D'un point de vue positif, si les frontières disparaissent, le phénomène des guerres va s'estomper. Par contre, les multinationales agissent de façon essentiellement économique ; elles ont donc une vision restrictive du monde. Dans trente ou cinquante ans, on aura peut-être un gouvernement mondial qui reflétera la dimension transpersonnelle, l'ouverture au monde.

Vous avez parlé de quatre manières d'être en relation avec le travail. Le vôtre est-il une vocation pour vous?

Malgré leur génie, le sociologue Émile Durkheim et le psychanalyste Sigmund Freud ont eu tort. Tous les deux avaient prédit la fin de la métaphysique. Or environ quatre-vingt-cinq pour cent des gens sur la planète croient qu'il y a quelque chose au-delà de la matière. En l'an 2002, la planète est extrêmement spirituelle. Comme on l'a dit plus tôt, cela s'exprime de manière parfois anodine, parfois dangereuse, et parfois tout à fait merveilleuse. Mais l'avenir est là, et nous sommes en marche.

Je pense à un autre auteur, Pierre Teilhard de Chardin, qui a vu un de ses livres interdit par l'Église catholique en 1937. Le livre a été publié l'année de sa mort, en 1955. Durant ces dix-sept années d'attente, il n'a jamais été déçu ou impatient; il se disait simplement que l'évolution sociale prend du temps.

À travers tout cela, vous sentez-vous intégré? Vivez-vous cette intégration dont vous parlez?

L'enseignement est une vocation. Je voulais y aboutir depuis mon plus jeune âge. Je fais partie de ces gens qui adorent leur métier. Il est difficile de trouver son destin et de l'accepter. Je me sens choyé parce que j'ai pu effectuer ce cheminement. Je crois que c'est un voyage de tous les jours. Les gens qui font le chemin transcendant ne deviennent pas parfaits. Ils deviennent meilleurs.

Merci, Thierry Pauchant.

Serge Wilfart

*Que seulement je fasse de ma vie une chose
simple et droite, pareille à une flûte de roseau
que tu puisses remplir de musique.*

RABINDRANÄTH TAGORE

Il ne se dit pas thérapeute, et encore moins guide spirituel. Ancien chanteur classique professionnel, Serge Wilfart s'intéresse aux dimensions thérapeutique et spirituelle de la voix. Né et résidant en Belgique, il travaille aussi en France, en Suisse, en Italie et au Québec où il vient régulièrement offrir des ateliers. Ses deux livres, *Le chant de l'être* et *L'esprit du souffle*, décrivent en profondeur sa démarche. Entièrement engagé, Serge Wilfart a l'humilité et la confiance de ceux qui vivent à partir de leur source première, de leur force initiale de vie. Attentif et généreux, il a bien voulu répondre à mes questions lors de son dernier séjour au Québec.

Serge Wilfart, d'où viennent votre passion et votre vocation pour le travail en profondeur de la voix?

Le chant est inscrit en moi depuis ma tendre enfance. Même si personne ne chantait dans ma famille, j'ai commencé à chanter à l'âge de dix-sept ans. Après avoir complété mes études, j'ai chanté professionnellement pendant treize ans. J'ai alors senti que cette voix n'était pas la mienne. Je suis devenu très insatisfait. Pour des raisons familiales, j'ai entrepris une thérapie analytique et, en même temps, une démarche d'ordre initiatique. Tout cela ne pouvait que me faire basculer et mourir quelque part en moi. J'aurais alors pu me détourner du chant et aller travailler, par exemple, dans une entreprise familiale. Je me suis plutôt retrouvé professeur, me rendant rapidement compte que la voix m'intéressait davantage que le chant. Je me suis passionné pour ce travail et les services qu'il pouvait rendre. J'en ai fait l'objet de toutes mes recherches depuis plus de trente ans. Je suis mon propre terrain d'expérimentation. Rien n'est proposé aux autres que je n'aie vécu moi-même. Je me considère comme un accompagnateur ou, mieux encore, un passeur. Je ne forme pas des chanteurs. Mon travail touche tout le monde. J'aide les gens à repérer des aspects oubliés en eux-mêmes, mais qui sont toujours là, enfouis en eux. Lorsque qu'ils arrivent à retrouver leur chemin et à se mettre en route, je les laisse aller. J'ai maintenant travaillé avec des milliers de personnes. Si le travail est le même pour tout être humain, je n'ai jamais rencontré deux êtres identiques. Quelle richesse !

Je travaille cette matière sonore qui existe déjà dans chaque bébé qui vient au monde. Cette matière est une forme de communication précédant le mot et le langage. En termes métaphysiques, elle contient la violence du cri du bébé. Cette violence est de nature animale. Dans le mot animal se trouve l'*anima*, une force énorme dont le bébé hérite lorsqu'il vient au monde et qu'il devra bien restituer un jour. C'est le chaos duquel doit sortir l'ordre. Tout le travail de reconstruction, incluant la mort d'un paraître pour laisser émerger l'être, se trouve là. Ce travail dépossède la personne de ses chaînes matérielles pour l'amener à une harmonie du rapport entre le souffle et la voix. Lorsque cette personne est revenue à la source de son centre — centre que les Japonais nomment le *hara*, qui représente pour moi la violence du cri du bébé —, elle peut alors se reconstuire. C'est ce que j'appelle l'acte authentique. Par cet acte, il est possible d'entrer dans la vie et d'y jouer son véritable rôle. Ainsi, la voix devient un outil ou un véhicule dans cette recherche d'harmonie vers laquelle on ne cesse de tendre. Bien sûr, ce travail ne peut s'accomplir que si le cœur change, de même que les aspects mental, psychologique et spirituel de la personne. C'est le cheminement de toute une vie.

Comment travaillez-vous avec les gens qui viennent vous rencontrer?

Dans un de mes livres, j'ai écrit: « La voix, je m'en fiche. » La voix ne m'intéresse que si elle est symbolique de l'action ou de la façon dont agit l'individu dans sa vie quotidienne. Chaque son témoigne de ce qui se passe intérieurement. Si on vient me rencontrer pour devenir chanteur, avec tout l'égocentrisme que cela peut comporter, je dis non. Par contre, des chanteurs peuvent venir trouver la profondeur qu'ils cherchent dans le chant, en particulier dans le chant sacré. Cela dit, je travaille avec une méthode que j'ai eu la chance de mettre au point. Dans mes ateliers, le principe est d'exposer le corps dans ses tensions, et, avec des exercices précis, de lui injecter en même temps un rapport entre le souffle et la voix. Ce rapport va à l'opposé des tensions. Il met le cœur et l'échine musculaire en porte-à-faux. Alors, la personne chute non seulement symboliquement, mais littéralement sur le tapis. Je demande aux autres participants de se tenir derrière elle pour la soutenir et pour qu'elle ne se blesse pas. Les premières séances sont toujours spectaculaires. Après, les choses se calment. Quand la chute est accomplie et que la personne commence à comprendre — ou prendre avec — ce qu'elle est en train de vivre, ce qu'elle est vraiment, elle peut alors s'engager sur son propre chemin pour aller vers une plus grande autonomie.

Même si ce travail est éprouvant et décapant, plusieurs ont le courage de l'entreprendre. Je pense, par exemple, à une dame de quatre-vingt-quatre ans qui a plus d'énergie que tout le monde dans la classe. Je pense à cette personne qui, en recherche intérieure depuis plusieurs années, a vécu des initiations chamaniques dans les endroits les plus profonds du monde. Elle m'apporte beaucoup et je lui apporte beaucoup. Je pense à des chanteurs en détresse qui ont pu se retrouver. Je pense à ce couple qui peut maintenant aborder la mort de leur fille avec beaucoup plus de sérénité. Je pense aussi à cet homme qui, maintenant devenu un ami, m'a téléphoné un jour. Je l'avais appelé madame au téléphone, car sa voix n'avait pas muée. Ayant retrouvé sa voix d'homme, il poursuit maintenant son cheminement intérieur. Ainsi, il a renoué avec la tradition juive dont il est issu, mais qu'il avait oubliée.

Que veut dire, pour vous, la dimension spirituelle ou la spiritualité ?

D'abord, je me situe complètement en marge du Nouvel Âge. Ma démarche est intuitive, tout en étant rationnelle et ancrée dans la matière. On ne peut ignorer le corps. La spiritualité, c'est le travail de reconstruction de ce temple qui est notre corps et notre être entier. Cette reconstruction nous amène à une harmonie avec ce qui nous dépasse et que je ne nommerai pas pour ne pas en réduire le mystère. L'harmonie est d'ordre universel. Elle existe dans toutes les traditions. Par exemple, l'islam est une très grande religion et il existe, en ce moment même, des sages soufis tout à fait extraordinaires. Dans la tradition hindouiste, j'ai rencontré d'autres sages faisant des recherches sur le son et la voix. Il n'y avait pas de compétition entre nous. Chacun faisait son travail intérieur, selon sa tradition. Je pense aussi que l'animisme et la spiritualité des autochtones sont les traditions les plus vraies et les plus pures qu'ait connues l'humanité. Elles sont très proches de la nature et de ce qui va au-delà de celle-ci. En Occident, notre civilisation moderne s'est coupée de la nature. Nous sentons d'ailleurs le besoin de retrouver nos racines dans ces traditions spirituelles.

Pour ma part, je me sens profondément inscrit dans la tradition judéo-chrétienne. Je m'y retrouve de façon simple et immédiate. Ainsi, je peux entrer profondément dans le symbolisme d'une messe. Malheureusement, le rite de la messe a perdu sa substance. Me retrouvant dans un Québec qui célèbre la Saint-Jean, je m'étonne que personne ne semble connaître l'origine et la signification réelle de cette célébration. Les rites ont perdu leur valeur. Un rite n'existe vraiment que s'il correspond à quelque chose de très profond en nous, à une demande intérieure d'équilibre et d'harmonie. Le rite est sacré. Il donne à la vie toute sa dimension sacrée. Toute vie est sacrée.

Ayant dit cela, comment vous reliez-vous aux événements que l'on vit en ce moment dans le monde?

Je me sens profondément concerné. Devant des événements mondiaux comme les grandes injustices et les génocides, l'être humain peut se sentir impuissant, dépassé. Songeant à l'avenir de mon fils de quinze ans, je considère qu'il y a urgence. Votre question me fait penser à une conférence que j'avais organisée avec des amis. Nous y avions invité le grand théologien allemand Eugen Drewermann. Nous avons vu arriver un être absolument merveilleux, égal à lui-même depuis la descente du train jusqu'au devant des caméras et, plus tard, à table. J'ai rarement rencontré quelqu'un d'aussi placide, avec un regard aussi malicieux et généreux en même temps. En public, il a eu l'audace de dire que les banques ne devraient pas faire de bénéfices. Je lui ai alors demandé ce que pouvait faire un homme seul pensant ainsi. Avec son air narquois, il m'a répondu : « Écrire des livres et faire des conférences. » En fonction de ce qu'il est, l'individu peut influencer ce qui se passe dans la société.

Comme les communautés religieuses auparavant, on peut ainsi créer, petit à petit, une chaîne qui, par son rayonnement, devient un ensemble vibratoire positif. Cela, j'y crois profondément. J'y contribue par mon travail. Quand ils parviennent à retrouver leur vraie respiration, même les gens les plus nerveux ou les plus excités se sentent libérés d'une violence intérieure. Ils parviennent à maîtriser celle-ci pour en faire quelque chose de positif. Je peux d'ailleurs témoigner que, symboliquement, il n'y a que de belles et grandes voix. L'être humain est merveilleux. Je suis optimiste.

Dès que le geste vocal commence à devenir juste, il fait appel à une respiration juste. Dans le travail que je fais, il n'y a que l'inspiration et l'expiration. Il revient à l'être humain d'aller toujours plus loin dans la reconnaissance de cette essence qui lui est donnée à sa naissance, d'aller trouver cette inspiration provenant d'une générosité première de la vie, cela jusqu'au moment où il faut accepter de lâcher prise parce que c'est fini. D'ailleurs, l'univers respire aussi. J'en suis convaincu. Peut-être que dans cet univers l'être humain représente un passage et que d'autres passages viendront par la suite... En tous cas, les transformations sont constantes. Je ne sais pas ce qui viendra après. Si la spiritualité retrouve son sens dans notre vie, je crois que cela ne pourra être que bénéfique.

Où en êtes-vous dans votre propre cheminement?

Les effets thérapeutiques de mon travail commencent à attirer l'attention du monde médical et scientifique. Malheureusement, même au Québec certaines personnes font à peu près n'importe quoi en plagiant ou en déformant ce travail. Dans le but de préserver la spécificité de ma méthode, j'ai récemment fondé l'École Serge Wilfart à Tournai, en Belgique. Près d'une cinquantaine d'élèves y étudient en ce moment. Ceux-ci pourront recevoir un diplôme officiel et reconnu.

Dans ma vie, j'ai vécu plusieurs étapes pendant lesquelles j'ai senti mon alchimie intérieure bouleversée. On sent qu'on va perdre pied, mais il faut se maintenir. Puis on sent que la tempête est passée : on est devenu autre. Ainsi, j'arrive bientôt à mes soixante ans. Je sais que ce qui vient, même la mort, ne peut être que meilleur. En même temps, je reste bien humain. Un jour, je m'étais esclaffé en apprenant qu'un grand maître zen était mort d'une cirrhose du foie. Il aimait trop le whisky ! Cette histoire avait d'ailleurs fait le tour de la France. Cela m'avait rassuré de savoir que ces grands maîtres, dont on parlait tant, restaient humains. D'ailleurs, j'ai une excellente cave à vin chez moi, en Belgique ! Je partage ainsi des moments de vie dans l'amitié, tout en demeurant rigoureux et entier. Il n'y a aucune séparation entre ce que je suis et ce que je fais. Je ne suis pas nécessairement facile à vivre mais je suis unifié.

Je ne nourris pas de projets. Je donne régulièrement des ateliers dans divers pays, dont le Québec, et prépare en même temps un nouveau livre portant sur les mythologies du monde. C'est l'évolution même de mon travail qui me fait avancer. Depuis quelques années, tout est devenu naturel pour moi. Un jour, je m'arrêterai. Mais aujourd'hui, au moment même où on se parle, je laisse tout simplement cette force évolutive grandir en moi et autour de moi. Je vis dans la confiance, la sérénité et la paix intérieure.

Merci, Serge Wilfart.

Albert Low

*Soyez spacieux comme l'univers, ample comme
un vêtement confortable, ouvert, sans limites.*

<small>SOGYAL RINPOCHÉ</small>

Au-delà de la communication verbale, il y a la présence de cet homme. Une présence ineffable, à la fois douce, généreuse et forte. Éclatant à certains moments de l'entrevue, son rire porte une sagesse provenant non seulement de l'âge, mais de l'attention constante et profonde à notre condition humaine. Maître zen de réputation internationale, Albert Low est le directeur du Centre zen de Montréal et l'auteur de plusieurs livres, dont *Créer la conscience*, son plus récent et plus important ouvrage. Albert Low est d'abord un homme libre et authentique. Il n'est pas l'homme du confort et des réponses faciles. Tourné vers l'essentiel, il cherche à réaliser son humanité première et ainsi à contribuer au mieux-être autour de lui.

Albert Low, qu'est-ce qui vous a mené vers le zen?

D'abord, je ne pratique pas le zen à proprement parler. Je cherche à connaître la raison de la souffrance et le sens de la vie. Le zen est une tradition et une méthode me permettant d'approfondir ce questionnement.

Je suis d'origine anglaise. Pendant la Seconde Guerre mondiale, j'ai passé beaucoup de temps dans les abris londoniens pour échapper aux bombardements. Alors adolescent, je me demandais pourquoi d'autres personnes voulaient me tuer. Juste après la guerre, j'ai vu des films tournés dans les camps de concentration. J'ai été très choqué. Des humains avaient été déshumanisés par d'autres humains. Comment cela pouvait-il exister? J'étais aussi un être humain. Dans des circonstances particulières, pourrais-je agir de la même manière? Ce questionnement est devenu le fil conducteur de ma vie. En Afrique du Sud où j'ai vécu plus tard, j'ai retrouvé la même situation qu'en Europe. Cette fois, les Noirs étaient déshumanisés. Je n'ai pas voulu demeurer là-bas.

Quant au zen, je m'en suis d'abord approché en lisant *La doctrine suprême*, un livre écrit par Hubert Benoît. Cet homme était magnifique. Chirurgien et violoniste, il avait eu le dos brisé pendant la guerre et avait passé huit ans dans un plâtre, entre la paralysie et la mort. À la suite d'un éveil intérieur, il avait écrit ce livre. Puis j'ai découvert le livre de Karlfried Graf Durkheim, *Hara: The Vital Center of Man*. J'ai été profondément touché par le propos de ce livre. Arrivé au Canada en 1963, j'ai commencé une pratique régulière avec le maître japonais Yasutani Roshi et le fondateur du Rochester Zen Center aux États-Unis, Philip Kapleau. Alors gérant en ressources humaines pour une grande compagnie, je n'étais pas satisfait de ma vie. Aussi, plusieurs personnes venaient me demander de l'aide spirituelle. En 1976, j'ai quitté mon travail. Ma femme et moi avons vendu notre maison et nous sommes allés vivre à Rochester pendant trois ans. J'étais fou, n'est-ce pas? (*Rire*) J'ai tout quitté pour devenir maître zen. En 1979, je suis venu à Montréal. J'ai eu le coup de foudre pour cette ville dans laquelle j'ai senti une réelle spiritualité. J'ai choisi de vivre, d'enseigner et d'aider d'autres personnes ici.

On ne peut pas cheminer sur la voie spirituelle pour soi-même seulement. Le premier vœu prononcé dans le zen est celui de la pratique pour tous les êtres vivants. Certains disent que la méditation est un acte égoïste. Si on médite en s'occupant uniquement de soi-même, on accomplit effectivement un acte égoïste. L'égoïsme, ce sentiment d'être le plus important au monde, représente l'obstacle premier sur la voie spirituelle. D'ailleurs, le moi est roi dans notre société actuelle. La psychanalyse et les autres formes de psychothérapie sont devenues les nouvelles religions.

En même temps, n'y a-t-il pas une soif de transcendance dans notre société?

Oui. Pendant un an, j'ai séjourné au Transvaal en Afrique du Sud. C'était un endroit très austère, presque un désert, qui ressemblait à un temple détruit. Il y avait là des vaches qui mouraient chaque nuit, des hyènes, des vautours et des millions de fourmis qui construisaient leurs abris contre des arbres qui en mouraient. À ce moment-là, je ne comprenais pas la vie et j'avais besoin de tranquillité. Alors que cet endroit était considéré hostile, j'ai beaucoup aimé le Transvaal. J'y ai trouvé un silence vivant. Je n'ai jamais eu peur. Je m'y suis senti chez-moi.

Durant mon séjour, j'ai eu une révélation qui a complètement changé ma vie. Cette révélation est devenue la base de tous mes écrits. J'ai découvert qu'au fond de notre cœur, nous sommes en conflit. Nous nous trouvons au centre et à la périphérie du monde en même temps. La souffrance et la créativité proviennent de cette réalité. Toute la civilisation humaine s'est formée à partir de cette petite graine de contradiction fondamentale. Nous essayons constamment de trouver une façon de vivre avec cette contradiction. Je suis maintenant en mesure de comprendre pourquoi des humains peuvent agir de manière terrible envers d'autres humains. Cette contradiction est une fente en nous. Quand notre centre est stable, nous sommes nous-mêmes stables. Quand notre centre est menacé, nous pouvons tomber dans cette fente ou, en d'autres termes, tomber en enfer. Nous développons l'angoisse, la panique et l'horreur. Nous essayons alors de recréer notre centre. Nous le faisons avec la haine et la violence. La haine est un béton qui stabilise ce centre. Ainsi, nous devenons complètement séparés du monde, ce qui crée à nouveau l'angoisse. Nous avons maintenant une raison pour cette angoisse, soit les personnes haïes. Nous voulons détruire ces personnes, par exemple en médisant à leur sujet ou en les tuant.

De cette même contradiction fondamentale peuvent aussi surgir la créativité et l'amour. Je pense ici aux grands développements scientifiques. Le physicien Max Planck, par exemple, ne pouvait pas expliquer le chauffage du métal avec la théorie des ondes connue à la fin du XIXᵉ siècle. Il a travaillé avec cette contradiction. Il a créé la théorie des quanta d'où est issue la mécanique quantique. Je pense également à l'amour entre un homme et une femme. Je suis différent de la femme. La femme est différente de moi. J'accepte et affirme sa différence. Elle accepte et affirme la mienne.

Nous sommes à la fois participants et observateurs dans le monde. C'est ainsi que nous devons vivre. Cependant, nous essayons constamment de séparer l'observateur et le participant. Absorbés par leurs émotions et les événements de leur vie, certains d'entre nous essaient d'être seulement participants. Froids et intellectuels, d'autres tentent d'être seulement observateurs. On pratique parfois le zen dans le but erroné d'en arriver à ce seul état d'observation. Ce n'est pas ainsi qu'on va trouver la libération.

Selon vous, quelle est la voie de la libération?

La seule façon dont on peut se libérer de la souffrance, c'est de la vivre et de passer à travers elle. Cela est paradoxal et contradictoire. La plupart des gens essaient de vivre la souffrance dans le but de s'en dégager. On ne vit pas la souffrance quand on a cette intention-là! (*Rire*)

L'expérience vécue ne cause pas la souffrance; elle ne fait que la relâcher. La souffrance provient du conflit entre l'observateur et le participant en nous-mêmes. Elle existe parce que nous sommes humains. Connaissez-vous la parabole de la graine de moutarde? Une jeune mère vient de perdre son bébé qui a été mordu par un serpent. Elle va chercher du réconfort auprès de Bouddha. Celui-ci dit à la jeune mère: «Oui, je peux vous aider. Pour cela, apportez-moi une graine de moutarde provenant d'une maison qui n'a pas connu la souffrance.» Bouddha veut dire qu'en enlevant la souffrance de cette femme, il lui enlèvera en même temps son humanité. Il n'y a pas de porte de sortie à la souffrance humaine.

Par exemple, l'un de mes fils a été très malade. Il est beaucoup plus difficile de supporter la souffrance de son enfant que de souffrir soi-même. Si je n'avais pas ressenti la souffrance, je serais devenu uniquement observateur de la vie. J'ai souffert. Par contre, je ne me suis pas attaché à un seul point de vue. Si on regarde le monde à travers un trou dans le mur, on est certain de sa vision du monde. En prenant du recul, on découvre que le monde ne se limite pas à ce trou. L'éternité est constamment là. En ce moment, vous êtes dans une pièce entourée de murs. Dans cette pièce, il y a aussi l'espace sans limites. Il est possible de vivre dans la pièce et dans l'espace en même temps.

Dans le zen, on apprend à tirer à l'arc dans un état de tension et de relaxation simultané, laissant aller la flèche sans intention. On pratique aussi de cette manière avec un koan. Par exemple, un maître tient la main de son élève et lui dit: «Si tu dis que c'est une main, je te donne trente coups de bâton. Si tu dis que ce n'est pas une main, je te donne trente coups de bâton. Qu'est-ce que c'est?» Comme dans le tir à l'arc, on se trouve dans une situation contradictoire et impossible. On demeure dans cette situation de façon complètement relâchée. Puis, on laisse aller. Voilà ce qu'est le *satori*, ou l'éveil.

Il arrive que des personnes aient cet éveil sans avoir pratiqué aucune voie spirituelle. Sinon, le bouddhisme, comme le christianisme d'ailleurs, ne serait qu'un jeu avec des règles et des récompenses. Dans le quartier pauvre de Londres où j'ai grandi, il n'y avait pas vraiment de traditions religieuses. À Somerset, où j'ai été évacué à un certain moment pendant la guerre, on a voulu m'enseigner le christianisme mais je n'ai pas été touché par cette religion qui me semblait trop impérialiste. Pourtant, plus je pratique le zen, plus je trouve de grandes vérités dans le christianisme. Allant au fond de soi-même, on découvre que les êtres humains sont absolument étonnants. Ils ont fait des guerres terribles et, en même temps, créé ces merveilles que sont les religions du monde. Dans tout cela, il existe une force plus grande que nous. Cependant, nous ne sommes pas immergés dans cette force. Imaginons une grande lumière dans une tente. Dans le canevas de cette tente se trouvent plusieurs petits trous. De l'extérieur, on peut voir tous ces petits points de lumière. Chaque point est complet. Chaque lumière est complète. Chaque personne est la totalité. Mais la totalité n'est pas une seule personne.

Vous dispensez votre enseignement au Centre zen de Montréal, de même que dans vos écrits. Je pense à votre dernier livre, Créer la Conscience. *Quelle est son importance pour vous ?*

Ce livre est mon *magnum opus*. J'y ai mis toute ma vie. J'y parle de ce qu'on découvre quand on se regarde sans aucun préjugé. Je parle de la contradiction. En général, on n'aime pas parler de cela. On préfère la clarté et la simplicité. Voilà pourquoi on a recours à la logique classique. Or la vie ne suit pas une logique classique. Elle suit la logique du conflit, de l'ambiguïté et de la contra-diction. Jésus et Bouddha ont aussi été en contradiction avec eux-mêmes. La nature est contradictoire. La contra-diction permet à la vie de continuer. Cependant, quand on lit quelque chose de contradictoire, on se demande pourquoi l'auteur ne s'est pas exprimé plus clairement. Il y a plusieurs années, j'ai écrit *Une invitation à la pratique du zen*, dans lequel je n'ai fait aucune référence à l'am-biguïté. Ce livre en est à sa treizième édition et a été traduit en plusieurs langues. Dans un autre des mes livres, *Le rêve du papillon*, je relate la parabole de l'homme qui, un soir, a perdu sa clé dans la rue. Il l'a perdue dans l'ombre mais il s'acharne à la chercher sous le lampadaire. Les gens veulent toujours que l'ombre soit éclairée. Il faut chercher dans l'ombre, non dans la lumière. Par exemple, une femme a un cancer. Que va-t-elle faire? En plus du problème physique, elle se trouve devant le problème de sa réaction à ce problème physique. Cette deuxième souffrance vient de la percep-tion du *moi* qui souffre. Cette femme peut-elle utiliser sa situation pour découvrir ce qu'elle est vraiment et ce qui est important dans la vie?

Au Centre, je demande aux personnes de ne pas venir pratiquer le zen, mais de venir découvrir ce qu'elles sont vraiment au fond d'elles-mêmes. La voie spirituelle se trouve dans la vie quotidienne. En ce sens, la posture du zazen s'avère très importante. Ni exotique ni bizarre, cette posture permet au pratiquant de demeurer dans la situation présente de sa vie et de devenir conscient. Il faut aussi savoir ce qu'on veut vraiment. C'est le thème de ma causerie d'introduction au Centre. Je demande d'ailleurs la même chose aux personnes pratiquant avec moi depuis vingt ans. Il faut être constamment honnête avec soi-même à cet égard. Certaines personnes veulent trouver la tranquillité pendant une demi-heure. Cela est bien. Cependant, après avoir pratiqué ainsi pendant un certain temps, il se peut qu'elles aient besoin d'autre chose et doivent abandonner la tranquillité. Il faut entrer dans le conflit pour trouver la compréhension. En ce qui me concerne, j'explore en ce moment la manière dont je peux toucher les autres plus profondément. Comment puis-je éveiller cette soif de la vérité profonde permettant à une personne de traverser n'importe quelle difficulté? Voilà ce qui m'anime.

De façon plus globale, comment voyez-vous la société et la planète en ce moment?

Je suis très préoccupé par la situation dans laquelle nous nous trouvons. Concernant le terrorisme, il est certain que nous devons agir politiquement, et même militaire-ment, si nécessaire, à l'échelle internationale. En même temps, je me rappelle cette histoire concernant Jésus. Une femme est prise en délit d'adultère. La foule veut la lapider. Jésus dit: «Que celui qui n'a jamais péché lance la première pierre.» Nous ne pouvons pas dire que cet homme est mauvais ou que ce groupe est responsable tant que nous sommes nous-mêmes en conflit intérieur. Si nous voulons la paix, nous devons d'abord la trouver en nous-mêmes. Nous ne pouvons demander aux autres de faire ce cheminement pour nous.

Nous nous situons à un carrefour très important. En nous existent d'immenses possibilités pour le bien et d'autres, tout aussi immenses, pour le mal. Pensant à la destruction écologique et me rappelant que le président américain George Bush a quitté le protocole de Kyoto sur les changements climatiques, j'ai peur. Je ne sais pas de quelle manière nous pourrons arrêter cette glissade. Si nous ne faisons pas quelque chose immédiatement, nos petits-enfants auront une vie terrible. Les manifestations contre la globalisation sont importantes parce qu'elles donnent une voix à ceux qui, autrement, n'en auraient pas. Cependant, nous devons changer les choses dans notre propre vie. Ces manifestants sont-ils prêts à ne pas avoir de voiture, par exemple? Moi-même, j'en ai une. Nous sommes tous humains. Cela fait partie de la contradiction de la vie. Au lieu d'espérer que d'autres personnes, quelque part dans le monde, prennent les bonnes décisions, nous pouvons chercher à résoudre le conflit en nous-mêmes. La haine et la guerre commencent aussi dans notre cœur. Très souvent, nous sommes paresseux. Nous voulons quelque chose sans avoir à en payer le prix. Dans ce cas, nous nous engageons sur une route menant vers la mort. Si nous sommes prêts à payer, ce qui signifie vivre dans l'ambiguïté, nous pourrons alors trouver la vie.

Dans tout cela, vous êtes en paix et joyeux…

Oui. Avec la pratique, je ne me demande plus ce qu'est le sens de la vie. Beaucoup de gens portent constamment ce fardeau. Je me suis libéré de celui-ci pour faire face à celui de la vie elle-même. (*Rire*) En ce moment, j'écris sur l'évolution. Il n'y a pas de raison pour la vie. Il y a plutôt un grand et merveilleux mystère. Cela est difficilement accepté dans notre société scientifique où on doit toujours trouver une explication. On tourne le dos au mystère et on considère les êtres humains comme des machines. On dit aussi que la vie est un accident et qu'elle est arrivée par hasard. Au contraire, je veux dire que la vie est créativité, que chaque personne est créativité, que vous êtes créativité. Quand on découvre cela, chaque moment est un miracle, chaque moment est merveilleux.

Merci, Albert Low.

LA TERRE

David Suzuki

C'est toi, Matière, que je bénis…

Pierre Teilhard de Chardin

L'UNE DES PERSONNALITÉS les plus remarquables au Canada et à travers le monde, David Suzuki, parle le langage universel de l'écologie et de la Terre. Généticien et longtemps professeur à l'Université de la Colombie-Britannique, il est aussi animateur de l'émission *The Nature of Things*, présentée à la télévision de la CBC depuis plus de quarante ans et rediffusée dans plus de soixante pays. Auteur de plusieurs livres, dont *L'équilibre sacré* et *Good News for a Change*, David Suzuki explore avec une lucidité, une intégrité et une passion exceptionnelles les enjeux fondamentaux de l'humanité. Il nous entretient ici de son cheminement, de son engagement et de sa vision.

David Suzuki, d'où vient votre passion pour l'écologie?

Elle remonte à l'enfance. Dans les années 1930, à Vancouver, je me souviens d'avoir marché, campé et d'être allé à la pêche avec mon père. Jusqu'à sa mort, il fut mon maître et mon héros. Avec lui, j'ai développé très tôt un grand amour de la nature.

Durant la Deuxième Guerre mondiale, environ vingt mille Canadiens d'origine japonaise ont été envoyés dans des camps. Je me suis ainsi retrouvé dans une des plus belles régions de la Colombie-Britannique, aujourd'hui devenue le parc provincial Valhalla. Pendant un an et demi, je ne suis pas allé à l'école. Au camp, j'étais un des rares enfants nippons dont les parents étaient nés au Canada et ne parlaient que l'anglais. Comme je me sentais à part des autres, je passais presque tout mon temps seul dans la forêt.

Plus tard, j'ai voulu devenir biologiste, mais j'hésitais entre l'étude des poissons ou celle des insectes. Au collège, je suis tombé amoureux de la génétique. En biologie, on consacrait beaucoup de temps à l'observation et à la description des sujets étudiés. En génétique, on pouvait construire une hypothèse et la tester scientifiquement. J'ai été séduit par la précision mathématique et l'élégance de cette science. Lors du lancement dans l'espace du satellite soviétique Sputnik, en 1957, j'étais en première année universitaire. C'était une période excitante : les Américains injectaient beaucoup d'argent dans la science et l'exploration de l'espace. Comme tout le monde, je croyais que la science était la clé d'une vie meilleure, qu'elle nous permettrait de résoudre tous les problèmes et de contrôler l'univers.

En 1962, Rachel Carson a publié le livre *Silent Spring*, qui m'a profondément marqué. Dans la nature, écrivait-elle, tout est lié. En vaporisant des pesticides, on ne tue pas que les insectes : les ingrédients chimiques s'infiltrent dans le tissu même de la vie et affectent les poissons, les oiseaux et les mammifères. Cette lecture me donna un choc. Comme généticien, je me concentrais sur un gène, un chromosome ou des cellules. En découvrant que la manipulation de ceux-ci provoquait des effets bien au-delà de ce qui était visible au microscope, je me suis en même temps rendu compte que les enjeux étaient énormes. J'ai alors joint un mouvement environnemental qui a par la suite donné naissance à l'organisme Greenpeace. Nous protestions contre les tests nucléaires américains, les coupes à blanc, les mégabarrages et les moulins à papier.

D'après vous, qu'en est-il de la conscience écologique en ce moment?

Nous sommes devenus prisonniers d'une notion très puissante, à savoir que l'économie passe avant tout le reste. Nous soumettons les forêts, les poissons, les arbres, l'air et l'eau à cette économie. Cela est très destructeur. Nous pensons ainsi parce que notre travail, notre maison, notre voiture et tout le reste dépendent de l'économie.

Nous devons nous poser certaines questions fondamentales. Quelle est la raison d'être d'une économie? Est-ce seulement de permettre aux grosses compagnies d'exploiter le monde et de devenir encore plus grosses? Quand se rendra-t-on compte qu'on a assez de biens et qu'on produit trop?

Lorsque j'étais adolescent, on prédisait que les semaines de travail seraient réduites à vingt heures. Au lieu de cela, les compagnies ont offert plus d'argent à leurs employés pour qu'ils achètent davantage. Par conséquent, nous sommes devenus malades, nous souffrons d'une dépendance à la consommation. Nous pensons que le bonheur se trouve dans l'accumulation de biens, mais nous nous trompons.

Il y a plusieurs années, un chef autochtone m'a invité avec ma famille dans un vieux village sur la côte ouest. Ma femme a pêché un saumon et moi, une morue. Nous avons cuit le poisson sur le feu et les avons mangés avec du riz et des fèves. Quelqu'un chantait et jouait du tambour. Alors que nous étions assis tranquillement sur la plage, le chef a dit: «Je me demande ce que les pauvres font ce soir…» Il avait raison: nous étions riches, ce soir-là; nous étions heureux. Voilà ce qui compte dans la vie. Pourquoi avons-nous besoin de tous ces produits de consommation?

On parlait récemment d'un poulet cloné, sans plumes et sans gras, destiné à la consommation. En voyant cela, on peut penser qu'on n'a plus besoin de la nature pour vivre...

J'entends constamment cette remarque. Nous sommes intelligents, nous pouvons fabriquer ce que nous voulons. Selon nos gouvernements et le milieu des affaires, c'est l'économie qui nous procure l'eau, la nourriture et les autres produits. C'est l'économie qui permet aux éboueurs de ramasser nos déchets. Tout cela est complètement fou. Que ce soit le verre, le métal, le bois, la nourriture ou l'énergie, tout nous vient de la Terre. Quand nous en avons fini de nos produits, nous les rejetons dans la Terre.

La réalité première, c'est que nous sommes des animaux. Sans air, eau, sol et énergie propres, nous mourons. Qu'est-ce qui nous donne l'air, l'eau, le sol et l'énergie? C'est la vie elle-même. La vie crée l'atmosphère. Les plantes absorbent le dioxyde de carbone de l'air, le transforment en oxygène et relâchent celui-ci dans l'air. Elles et les organismes dans le sol filtrent l'eau que nous buvons. Ainsi, la vie crée le sol qui nous nourrit: elle capture la lumière du soleil qui nous donne l'énergie. Pour moi, les cinq piliers de notre vie sont l'air, l'eau, le sol, l'énergie solaire et la biodiversité. Avant de penser à quelque forme d'activité économique que ce soit, on doit se demander quel impact aura notre action sur eux. Rien ne devrait compromettre ces piliers de la vie. Pour moi, ils sont sacrés.

Nous causons la disparition d'environ cinquante mille espèces vivantes par an. Après plusieurs millions d'années d'évolution, elles ne reviendront pas. C'est tragique. Cependant, il faut garder espoir. Si nous sommes assez flexibles, nous pouvons cesser de détruire notre environnement et le préserver pour les générations à venir. Quand certains de mes amis disent qu'il est trop tard, je leur réponds qu'ils peuvent alors tuer, voler ou violer. Sans espoir, plus rien n'a d'importance. Puis je pense à Nelson Mandela, emprisonné pendant plus de vingt ans. Il a dû être difficile pour lui de croire que les choses allaient s'améliorer. Pourtant, il a gardé espoir. Qui aurait cru qu'un jour l'apartheid disparaîtrait et que Nelson Mandela deviendrait président de l'Afrique du Sud? Or c'est arrivé.

Dans votre dernier livre, Goods News for a Change, *écrit en collaboration avec la recherchiste québécoise Holly Dressel, vous explorez les nouvelles manières de vivre qui se manifestent en ce moment sur la planète. Avez-vous espoir en notre avenir...*

Quand j'ai commencé le livre, je pensais que nous ne trouverions pas assez de matière pour l'écrire. En fait, ce que nous avons constaté, c'est que les solutions existent et qu'elles sont nombreuses. Elles ont aussi des caractéristiques communes: la diversité, l'humilité, le sens communautaire et une vision d'avenir. La diversité est fondamentale. Inscrite dans le tissu même de la vie, elle permet la survie à long terme. Nous sommes une espèce parmi dix ou même trente millions d'autres espèces. Nous devons rester humbles et nous montrer tolérants, car nous savons encore peu de chose sur le monde dans lequel nous vivons. Nous devons aussi nous centrer sur nos communautés locales. Ainsi, on peut vivre de manière plus légère et durable sur la Terre. Nous avons aussi besoin d'une vision à long terme. Nos politiciens pensent d'abord à être réélus. Ils ne pensent même pas dix ans devant eux. Quant au milieu des affaires, il vit en fonction du rapport non plus annuel, mais trimestriel. Si celui-ci est mauvais, la compagnie peut s'écrouler sur le marché. Dans tout cela, nous oublions de penser à nos petits-enfants et arrière-petits-enfants. Les communautés et organisations que nous avons découvertes en écrivant le livre se préoccupent de l'avenir. Chaque décision est prise en ce sens. C'est ce dont nous avons besoin maintenant[1].

Chacun de nous peut faire quelque chose. Si des millions de gens posent de petits gestes, le résultat sera énorme. Il faut aussi agir à plusieurs niveaux. Les grosses compagnies sont les principaux prédateurs sur la planète. De manière à établir un équilibre, les individus doivent changer leurs habitudes de consommation et les gouvernements ont à établir des lois régissant le comportement des compagnies. En ce moment, ces compagnies s'auto-régissent, ce qui est très mauvais.

Il est important pour vous de mettre en pratique ce que vous préconisez. Comment vivez-vous cet engagement?

Notre maison n'est pas totalement écologique. J'aimerais avoir des toilettes à compost et me passer de l'électricité, mais à cause des lois municipales, c'est difficile. Nous avons quand même changé certaines habitudes : nous sommes quatre à la maison et nous produisons moins d'un sac de déchets par mois! Nous avons une Toyota hybride fonctionnant à l'essence et à l'électricité qui ne consomme que quatre litres aux cent kilomètres. Pour nous rendre au travail, nous marchons ou nous prenons l'autobus ; pour aller à moins de dix rues de la maison, nous roulons à bicyclette ou nous marchons. Bien sûr, je voyage souvent en avion. Chaque fois, beaucoup de dioxyde de carbone est émis dans l'air à cause de moi.

---

1. Note de l'intervieweure : parmi les exemples québécois mentionnés dans le livre se trouvent la construction de maisons en ballots de paille sur la réserve Mohawk de Khanawake et l'École de l'environnement de l'Université McGill à Montréal.

Mais il faut bien que je répande mon message sur la planète !

J'ai vécu des moments difficiles lorsque les industries minière, forestière et chimique ont voulu me poursuivre en justice et me faire renvoyer de l'université. Le support du public m'a sauvé et m'a procuré beaucoup de joie. Ma famille m'appuie aussi de façon merveilleuse. Cependant, je me sens toujours nerveux autour de personnes ayant la peau blanche, et je n'aime pas me voir à la télévision. Je dis chaque fois à ma femme, qui est d'origine anglaise : «Comment peux-tu être mariée à un vieux Japonais comme moi ? » Elle m'aide beaucoup. Tout cela vient des années de guerre : à soixante-six ans, j'essaie encore de prouver aux Canadiens que je suis une personne ayant de la valeur. C'est le fardeau que je porte en moi.

Lorsque je serai arrivé au terme de ma vie, qu'est-ce qui me rendra heureux en faisant le bilan de mon existence ? Ce ne sera pas ma voiture, ma maison ou mes vêtements chics mais ma famille, mes amis, ma communauté et les choses que nous aurons accomplies ensemble. Quand mon père est mort, il voulait que ses cendres soient répandues sur l'île où nous avons une maison. Il m'a dit : « En voyant l'aigle voler dans le ciel, le saumon sauter dans l'océan ou le vent se faufiler entre les feuilles, tu sauras que je suis encore là. » Il croyait que ses atomes ne disparaîtraient pas mais changeraient de forme. Ses cendres seraient mangées par les insectes et les plantes. Il serait recyclé indéfiniment. Je suis d'accord avec lui. Je suis né de la Terre et retournerai à la Terre en tant que partie du tissu de la vie.

Merci, David Suzuki.

Jean François Casabonne

Ma patte est sacrée
les herbes sont partout…
tout est sacré
ma patte
tout est sacré.

JAMES KOLLER

JE LE SAIS COMÉDIEN. Entre autres accomplissements, il a interprété des rôles créés par de grands auteurs, comme Sophocle, Molière, Tchekhov et Ionesco. Je le sais auteur. Ses deux premiers livres, *Du cœur aux pieds* et *Jésus de Chicoutimi*, sont parus récemment. Je sais aussi qu'il est marcheur. Il a marché et marche encore sur les routes du Québec et de la Terre, comme il marche dans la vie et dans sa vie. Il est un voyageur spirituel. Je vous invite à partager l'entretien que cet homme intègre, sensible, créateur, généreux et entier a bien voulu m'accorder, quelque temps après le 11 septembre 2001.

Jean François Casabonne, d'où vient votre engagement dans la dimension spirituelle de la vie?

Ma mère m'a certainement transmis quelque chose. Aussi, je suis naturellement tendu vers ce qui est mystérieux. Souvent, les Autochtones nomment le territoire à partir de ce qu'ils y voient ou perçoivent. En ce sens, je suis un territoire pour le mystère qui m'habite. En général, les enfants sont sensibles à ce mystère en eux. À l'adolescence, je l'ai rejeté quelque peu: j'ai vécu une adolescence assez révoltée. J'ai de la chance d'être devenu qui je suis et de ne pas être un *bum*, comme on dit…

Je me relie beaucoup au Christ. Cet homme a dit et vécu des choses qui me nourrissent profondément, touchant à l'essentiel. En même temps, je suis très conscient des inégalités et injustices que la religion a créées. Qu'on le veuille ou non, le Québec s'est beaucoup construit sous les yeux de l'Église catholique. On ressent tous un besoin d'affranchissement par rapport à une tradition qui nous a été imposée, mais au lieu de rester dans le rejet ou l'opposition, on pourrait aborder cette tradition dans un esprit de partage. C'est ce que j'aime en Jésus. Il crée un lien, un pont entre l'Ancien et le Nouveau Testament. Tout cela me parle énormément et me fait vibrer. Parfois, j'ai l'impression que le silence s'impose… Et pourtant, il m'arrive souvent d'avoir l'impression d'être moi-même un pont dans mes relations et dans la vie.

Le comédien crée un pont entre un auteur et un public. Parce qu'il demande beaucoup d'écoute, d'ouverture et de sensibilité, ce métier est un merveilleux terrain permettant d'explorer la dimension spirituelle de la vie. Dans le monde d'aujourd'hui, il existe un éclatement des pensées. Il est très difficile de trouver un point de convergence. Pour moi, le théâtre devient un espace dans lequel tout le monde qui y vient ou y travaille — que ce soit avant, pendant ou après la représentation, sur la scène, dans la salle ou les coulisses — regarde dans une même direction. Il m'arrive de me demander si je suis compris par mes collègues et dans le milieu en général. On nous étiquette facilement. Or on n'est jamais figé, on évolue constamment. Pour ne pas déplaire à nos parents ou à une forme d'autorité, on est parfois gêné ou on se sent coupable d'être soi-même. Cependant, plus on avance sur la voie spirituelle, moins on a besoin des autres pour nous dire qui on est, moins on a besoin de gourous. On fait corps avec sa croyance : on aligne son corps, son esprit et son cœur. C'est une voie entière. Ainsi, j'essaie de vivre en concordance avec moi-même et d'être unifié. Ce n'est pas toujours facile.

Comment vivez-vous les événements qui affectent le monde depuis le 11 septembre 2001 ?

Je me sens très concerné et interpellé par tout cela. Je suis aussi troublé par l'inconscience dans laquelle nous semblons vivre. Récemment, je me suis retrouvé dans une fête. On a commencé à parler des événements et le ton a monté. Dans le salon, il y avait presque une guerre de mots. C'est là que réside l'inconscience. On ne ramène pas l'événement à soi. Après le 11 septembre, j'ai voulu tout arrêter. Je me suis dit que j'allais prendre un panneau de la paix, inscrire des noms dessus et marcher jusqu'à la Maison-Blanche pour que George Bush ne réponde pas par la bouche de ses canons. Il existe d'autres formes de réponse que les sanctions violentes. Ainsi, les gigantesques sommes affectées aux dépenses militaires pourraient servir à réparer ce que le capitalisme a fait dans plusieurs pays. Les Américains et nous sommes en grande majorité chrétiens. Le Christ a dit : « Quand on vous frappe sur une joue, tendez l'autre joue. » Au lieu de riposter, on pourrait mettre davantage en pratique ce en quoi on affirme croire. Ce qui s'est passé est inacceptable, bien sûr. Il faudrait cependant en tirer une leçon pour ne pas qu'il y ait une escalade de violence. C'est la voie de l'intelligence. Mais on dirait qu'on a besoin de se venger pour réparer les dommages. C'est très bizarre. De plus, il existe maintenant une sorte de censure ou de climat d'adhésion au silence et à la peur. Il faut demeurer vigilant. Faut-il que quelque chose nous arrive personnellement pour qu'on réagisse ? Où réside notre engagement dans la vie de tous les jours ?

Pour moi, la marche est la pointe de l'iceberg dans mon cheminement intérieur. À un moment donné, j'étais en Israël, devant le Mur des lamentations. Il y avait là un jeune Juif qui dansait, sautait et chantait sa prière. Cela m'a beaucoup touché parce que la plupart du temps, l'expression de notre prière demeure assez fixe et stable. La marche vient du fait que j'ai envie d'engager tout mon corps dans ce que je fais. Elle est aussi une quête du mystère. Par exemple, j'ai longtemps cherché mon père géniteur. Transposant cela dans la foi, la marche représente aussi une quête de mon Père céleste.

La quête de votre père géniteur a été marquante pour vous, n'est-ce pas?

Tout ce qui entoure ma naissance est mystérieux. J'ai été conçu à Chicoutimi. Après la mort de mon père adoptif, Jean Casabonne, en 1985, j'ai entrepris une longue recherche pour trouver mon père géniteur. L'ampleur de son absence était tellement immense en moi qu'elle en était devenue une méga-présence. Qu'on connaisse ses parents naturels ou non, il faut intérieurement rapatrier le père et la mère. Il faut devenir pour soi-même père et mère. Dans la Genèse, il est écrit que l'homme et la femme quitteront père et mère pour former une seule chair. Pour faire une nouvelle alliance, il faut en quitter une. Quand on n'est pas né dans une alliance, qu'est-ce qu'on quitte pour en créer une autre? On est toujours en état de rupture intérieure, accroché à du vide ou, en tous cas, à de l'impalpable. Il y a environ deux ans et demi, j'ai finalement trouvé ce père géniteur. Il a mis un certain temps à m'accueillir, mais il l'a fait. Cette expérience profondément réparatrice a tout changé en moi. Je me suis donné des racines et j'ai fait disparaître un fantôme. J'ai d'ailleurs écrit un livre à ce sujet, *Jésus de Chicoutimi*, un récit dans lequel se mêle une certaine fiction.

Mon père est syrien, musulman, et il habite aux États-Unis où il va sans doute finir ses jours. J'ai du sang syrien dans les veines, et j'ai atterri par le ventre de ma mère au Québec. Comment se fait-il que ce double héritage coule dans mes veines? Avant tout, je me considère comme un humain vivant sur la Terre. Quand je suis allé en Israël, je me suis senti très bien. Tous mes gènes se sont réveillés. Mon corps a reçu la chaleur sans que je suffoque, comme si je retrouvais un lieu d'appartenance. Pensant à nouveau aux événements terroristes, même si je ne cautionne pas du tout ceux-ci, il me semble qu'on a parfois besoin de gestes extrémistes pour se faire brasser, réfléchir et basculer dans une prise de position intérieure. Pendant la marche que j'ai effectuée avec d'autres sur la route 132, entre Carleton et Montréal, à l'automne 1999, les gens disaient parfois qu'on ressemblait à des prophètes. J'avais plutôt l'impression d'être un « pas fait »… Ainsi, je me vois en train de me construire dans les événements qu'on vit en ce moment. Je peux poser de petits gestes. Tout cela me ramène aussi à mes paradoxes intérieurs. Par exemple, j'ai le goût d'être en association avec tout le monde et, en même temps, d'être seul. Parfois, je ressens un trop-plein : il y a trop de bruit, trop de mouvement et trop de sollicitations. Nous nous agitons beaucoup, et pour toutes sortes de raisons, des bonnes et des mauvaises.

Qu'avez-vous appris de votre marche sur la route 132 ?

Mon intention de départ, c'était d'être à l'écoute de ce que les gens vivaient le long de la route, au cœur même de leur quotidien. Je nourrissais aussi certains projets, particulièrement un film, qui étaient rattachés à cette marche. Dans toute expérience spirituelle, je pense qu'il ne faut rien prévoir. La vie se situe beaucoup dans l'imprévisible. Je me suis demandé si je marchais juste pour la marche ou pour obtenir quelque chose. J'ai appris à lâcher prise sur mes rêves. Parfois, des parents caressent des rêves pour leurs enfants. Bizarrement, les enfants s'affranchissent de leurs parents quand ceux-ci consentent à abandonner les rêves qu'ils entretenaient pour eux.

Les enfants ont à faire cela aussi par rapport à leurs parents. La marche m'aura appris à faire cet acte d'abandon sur ce qu'on prévoit, sur ce qu'on voudrait qui soit.

Dans la vie, des blessures nous arrivent parfois en plein visage. On peut accueillir ces blessures et en faire des forces. La marche m'aura aussi appris à faire confiance au temps et à laisser décanter les choses. Quand on met cela en pratique, une paix surgit en nous. Par exemple, quand il y a un conflit ou une guerre, on peut se dire qu'une réconciliation est impossible. Je crois qu'il y a toujours une place pour la transformation et la transfiguration des rapports. Il faut faire cette place en nous.

On marche avec soi-même et là où on est en soi. Il fait magnifiquement beau aujourd'hui, et, en même temps, je suis immensément préoccupé par toutes sortes de choses. Souvent, quand je marchais, j'avais aussi des préoccupations. Parfois, je marchais et j'étais en miettes ; à d'autres moments, j'avais des instants de grâce et je marchais complètement unifié. J'ai appris que la liberté et le bonheur, c'est simplement d'être là où on est avec tout ce qu'on est, que ce soit dans nos heurts ou dans nos bonheurs. Il se produit alors une acceptation, puis une unification intérieure. Cet équilibre ou cette ligne médiane n'est cependant pas toujours facile à atteindre.

Dans tout cela, je me relie aussi à la tradition autochtone. Les autochtones ont beaucoup à nous apprendre par leur spiritualité et leur philosophie en lien intime avec la Terre. Les fleurs, les champs, les forêts, et particulièrement le fleuve, ont été des alliés pour moi tout au long de la route. En ville, je vis une sorte de rupture intérieure. Parfois, la présence réelle de la nature me manque cruellement. Le soleil plombant sur Montréal est le même qui réchauffe la péninsule gaspésienne, mais ici, la nature est masquée. Pour moi, la pollution est une sorte de fard, ou un rouge à lèvres : la ville met du maquillage dans le ciel; la lumière n'y est pas tout à fait la même que dans la pleine nature.

Comment vous sentez-vous dans tout ce cheminement intérieur?

Je vais bien. J'accepte tout ce qui m'arrive. La paix intérieure est un état. Je ne serais pas plus heureux si j'avais quarante millions de dollars, du moins je ne le pense pas. En même temps, je vis un dilemme intérieur. À cause de projets que j'initie pour la paix mondiale, je suis en pleine effervescence en ce moment. Je sais bien qu'il ne faut pas mettre tous nos œufs dans le même panier mais j'ai souvent tendance à engager toute ma personne dans mes actions, comme s'il s'agissait d'une question de vie ou de mort. Cela est exigeant et peut devenir fatiguant (*Rire*)... J'ai tendance à voir les choses de façon absolue; je me questionne beaucoup à ce sujet.

En ce moment, je ne suis plus celui que j'étais avant la marche, ou même celui qui a écrit *Du cœur aux pieds*, un livre témoignant de mon expérience durant la marche. Au sens large du terme, la marche n'est pas terminée. Elle continue. Je suis dedans, complètement dedans. Au fond, peut-être est-ce moi le point de repère. Je vis et je marche vers moi.

Merci, Jean François Casabonne.

Oriah Mountain Dreamer

Dis-moi,
que comptes-tu faire avec ta vie sauvage et précieuse?

Mary Oliver

U N SOIR DE 1994, rentrée fatiguée et déçue d'une réception superficielle à laquelle elle avait pris part, Oriah Mountain Dreamer s'est mise à écrire un texte dans lequel elle disait : « Je ne veux pas savoir ce que vous faites dans la vie. Je ne veux pas savoir quel âge vous avez. Je veux savoir si vous oserez vous rendre ridicule au nom de l'amour, d'un rêve, ou de l'aventure de votre vie. » Animatrice et conférencière en spiritualité, elle a distribué son texte aux personnes de son entourage sans jamais se douter que celui-ci se répandrait comme une traînée de poudre sur le web ! De ce succès inattendu est né *The Invitation* qui, publié en 1999, s'est vendu à deux cent cinquante mille exemplaires et a été traduit en plusieurs langues, dont le français, sous le titre *L'invitation*. À la suite de la parution d'un nouveau livre intitulé *The Dance*, j'ai rencontré Oriah Mountain Dreamer dans son humble mais coquette maison à Toronto.

Oriah Mountain Dreamer, d'où vient ce profond engagement envers la dimension spirituelle de la vie ?

J'étais une enfant très étrange. Toute jeune, je priais et sentais une présence vivante en moi. Des voix intérieures me parlaient, me posaient des questions, me réconfortaient et me guidaient dans la bonne direction. La spiritualité tenait d'ailleurs une grande place dans ma famille d'origine protestante. Nous allions fréquemment à l'église. Chaque soir, après le repas, nous lisions un court passage de la Bible et explorions sa signification. Adolescente, je voulais constamment discuter des grandes questions théologiques, philosophiques et morales se situant au cœur même de la vie. J'avais organisé un groupe d'échanges pour les jeunes de mon âge. J'étais très habile à recruter des membres. Plus tard, je me suis rendue compte que les garçons venaient pour voir les filles, et les filles pour voir les garçons. Comme je ne me rendais pas vraiment compte de mon étrangeté, je n'ai pas beaucoup souffert d'être différente des autres durant cette période de ma vie.

Si j'entretiens toujours une relation intime avec le Christ, je me suis détachée des structures et des croyances chrétiennes. À un certain moment, j'ai aussi souffert du syndrome de fatigue chronique. Cette maladie est devenue profondément porteuse de sens pour moi. En effet, j'ai tendance à m'acharner au travail et je peux déployer un effort énorme dans ma recherche spirituelle, parfois jusqu'à l'épuisement. Tout au long de ma maladie, j'étais littéralement couchée sur le dos et je ne pouvais pas bouger. Pour la première fois de ma vie, je me suis reposée. Après six ans de maladie, je suis allée consulter un homme-médecine autochtone. Cette visite a été un point tournant dans ma vie. Nous avons parlé, puis il a travaillé avec l'énergie en moi et autour de moi. J'ai participé à une cérémonie de tente de sudation et j'ai effectué une quête de vision. Ayant grandi à la campagne dans le nord de l'Ontario, je me suis sentie bien dans cette spiritualité ancrée dans la terre et la nature. J'ai alors découvert que j'étais malade parce que je n'étais pas vraiment moi-même et ne vivais pas authentiquement. Cet homme m'a donné le nom de Mountain Dreamer, qui signifie celle qui aime découvrir et repousser les limites intérieures. Pour moi, cela veut dire l'apprentissage quotidien du calme, de l'ouverture et du lâcher prise sur l'action. Par la suite, les aînées autochtones m'ont donné le prénom Oriah, qui signifie celle qui appartient à Dieu. En ce moment, je me sens ambivalente par rapport à mon nouveau nom. On peut penser que je ne suis pas sérieuse ou que je suis totalement engagée dans le mouvement Nouvel Âge. De façon générale, je me sens proche des personnes qui cherchent la spiritualité hors des religions occidentales et incluent dans leur recherche les traditions orientales comme le bouddhisme et le yoga. Cependant, il existe un certain fondamentalisme dans le Nouvel Âge avec lequel je ne suis pas d'accord. Ainsi, certains affirment que tout arrive pour une raison, en particulier pour notre développement spirituel, mais il me semble présomptueux de croire en cette façon de voir la vie. Même si cela est difficile, nous devons vivre en acceptant de ne pas savoir.

Comment vos deux livres, et en particulier votre plus récent, The Dance, *se situent-ils dans votre cheminement?*

Mon livre *L'invitation* était une déclaration d'intention. J'y exprimais le profond désir de me reposer, de vivre pleinement le moment présent et d'apprendre à aimer vraiment. Après avoir terminé le manuscrit, j'ai découvert que je ne mettais pas très bien ces intentions en pratique. J'ai eu une légère crise cardiaque parce que je n'avais pas pris soin de mon corps. Puis j'ai découvert que mon nouvel ami était alcoolique et que j'en avais ignoré les signes au début de la relation. Finalement, j'ai dû demander à mon fils de dix-neuf ans d'aller vivre chez son père parce que je ne me sentais pas assez attentive à son égard. J'ai alors commencé à écrire cet autre livre, *The Dance,* dans lequel j'ai voulu explorer pourquoi j'étais si rarement la personne que je voulais être. Après avoir écrit sept chapitres, j'ai eu un rêve dans lequel une aînée me disait: «Mauvaise question, Oriah! Demande-toi plutôt pourquoi tu veux si rarement être la personne que tu es vraiment! Ta nature essentielle est la compassion. Tu as peur que ce ne soit pas assez. C'est assez.» La peur nous fait oublier qui nous sommes vraiment. Nous avons peur d'être jugés, exclus et abandonnés, mais cela fait partie de la condition humaine. Nous avons aussi créé une culture basée sur la peur. Ainsi, l'idée du péché originel reflète une croyance en une faiblesse ou un mal inhérent en nous. La danse dont je parle dans mon livre reflète la tension entre notre nature divine compatissante et notre faiblesse humaine pouvant s'exprimer par la colère ou la peur.

Dans tout cela, je suis une femme. Les femmes savent que la vie se passe avant tout dans les petites choses et les situations particulières du quotidien. On peut facilement parler de compassion en général. Ainsi, je peux ressentir de l'empathie envers toutes les personnes souffrant sur la Terre en ce moment. Cependant, qu'arrive-t-il si mon voisin joue de la musique trop fort dans le jardin? Puis-je apprendre à respecter mes besoins sans me mettre à détester ce voisin pour autant? Voilà le vrai travail. Voilà ce que j'explore dans mes livres. Je suis aussi beaucoup attentive au pouvoir du féminin en nous. Avec l'*animus* et l'*anima*, soit la dimension masculine dans la femme et la dimension féminine dans l'homme, le psychanalyste Carl Jung a développé des paradigmes associant la force active à l'homme et la réceptivité à la femme. Les autochtones avec qui je travaille nous invitent plutôt à explorer la force active inhérente à la féminité et la réceptivité inhérente à la masculinité. La plupart du temps, j'entrevois l'Univers ou Dieu au-delà des représentations masculine ou féminine. Cependant, je suis guidée dans mes rêves par un conseil d'aînées. Le système patriarcal dans lequel nous vivons a eu tendance à nier la dimension féminine du divin. Nous avons grandement besoin de redécouvrir et d'apprécier celle-ci. Autrement, notre société devient débalancée et crée des ravages. Bien qu'il soit de moins en moins populaire de le dire, je suis féministe. Quand je rencontre des jeunes étudiantes affirmant avec véhémence qu'elles n'ont pas besoin du féminisme dans leur vie, je suis troublée. Elles ne connaissent pas leur propre histoire. Il y a tout juste vingt-cinq ans, très peu de femmes s'assoyaient sur les bancs des universités. C'est à cause du féminisme qu'elles peuvent aujourd'hui étudier.

Pensant à la situation actuelle de l'humanité et de la planète, comment entrevoyez-vous l'avenir ?

Je ne sais pas. Gandhi a dit : «Vous devez être le changement que vous voulez voir dans le monde.» Tous les matins, lors de ma méditation, je me demande comment devenir moi-même cette paix que je désire dans le monde. Par exemple, j'ai reçu récemment une lettre d'un ancien amant dont j'ai parlé dans *The Dance*. Il n'aime pas ce que j'ai dit de lui ; il est très en colère contre moi et m'accuse de tous les maux. Immédiatement, j'ai voulu me défendre contre lui et j'ai pensé lui envoyer une note disant que j'étais désolée de l'avoir blessé. Je ne l'ai pas encore fait parce qu'il s'en dégagerait sans doute une légère condescendance à son endroit. Je lui ferais sentir le pouvoir, celui de le blesser, que je pense avoir sur lui. Comment puis-je me trouver vraiment en paix avec cet homme ? Voilà la question qui m'habite en ce moment. Aussi, tous les soirs durant ma méditation, je pense à une femme vivant en Afghanistan. Sans la connaître, j'essaie de sentir les questions qu'elle se pose concernant sa survie et celle de sa famille. Je lui dis que je suis avec elle. Puis j'essaie de penser à un membre du régime taliban. A-t-il des doutes ? A-t-il peur de ce qui arrivera à sa famille ? Je lui dis aussi que je suis avec lui. Cela est très difficile, mais je ne sais que faire d'autre.

En ce moment, je ressens davantage de tristesse que de peur. Nous créons tant de souffrance sur cette Terre.

Nous n'avons pas besoin de vivre ainsi. Dans un premier temps, l'acceptation de ce qui est diminue la résistance et soulage en partie la souffrance. Cependant, la vraie libération réside dans la connaissance de soi et dans l'acte authentique. Quand je détruis cette lettre incendiaire de mon ancien amant au lieu de la relire vingt fois, je diminue la souffrance en moi et autour de moi. Quand je m'empêche d'envoyer cette note condescendante, je diminue la souffrance en moi et autour de moi. Il importe peu que j'écrive un autre livre ou donne une autre conférence. Ce que je fais est moins important que la manière dont je le fais. Si je peux être plus présente aux autres en travaillant comme vendeuse au dépanneur du coin, je ferai davantage de bien qu'en écrivant des livres. Si je sacrifie ma présence à moi-même, je ne contribuerai pas au mieux-être autour de moi. Encore une fois, je pense à Gandhi qui avait organisé une manifestation et qui, durant celle-ci, s'était levé tout à coup. Sidérés, les gens lui avaient demandé où il allait. Il avait simplement répondu : « Ceci n'est plus vrai pour moi », et il était parti. D'ailleurs, il avait dit à un autre moment : « La vérité m'intéresse, pas la consistance. » Si nous sommes pleinement présents à nous-mêmes, l'action juste se manifeste naturellement. C'est le travail de toute une vie et c'est pour cela que nous sommes ici. Au fond, je ne désire pas changer le monde mais apprendre à l'aimer.

Où en êtes-vous dans votre propre vie en ce moment ?

Pour mes fils, je suis simplement maman. Si quelque chose de merveilleux m'est arrivé dans la journée et si je leur en parle, ils me répondent : « Superbe ! Qu'est-ce qu'on mange ce soir ? » Ils me disent aussi qu'ils vont écrire leur propre livre dans lequel ils vont raconter tous mes moments d'impatience... (*Rire*) Ils me ramènent vite sur terre. Avec eux, je ne peux pas me prendre pour une autre. Récemment, j'ai accordé une entrevue à la télévision. Les animateurs m'ont présenté en tant qu'auteure connue à l'échelle internationale. Je me suis sentie très petite. J'ai appris à ne pas croire la publicité à mon sujet. D'abord, j'écris pour moi-même; je raconte des histoires personnelles parce que je cherche la sagesse et essaie de vivre authentiquement. Vient ensuite la publication. Des gens me disent alors que mes livres les ont aidés dans leur propre vie. J'ai été particulièrement touchée par le témoignage de cette femme qui, au chevet de sa fille dans le coma, a lu *L'invitation* à haute voix pendant cinq semaines consécutives. À la fin, sa fille est morte. Si j'avais voulu écrire un livre sur la manière de survivre à la mort de son enfant, je n'aurai pas pu. C'est là où arrive la magie. Ce n'est pas moi qui ai aidé cette femme. Si nous restons vrais envers nous-mêmes et ouverts à la tension entre notre nature divine et notre faiblesse humaine, ce qui est plus grand que nous peut agir à travers nous. Je ne prie pas pour que mes livres se vendent à un million d'exemplaires, même si cela pourrait être très agréable. Je prie pour qu'ils rejoignent les personnes pouvant en bénéficier. Je prie pour que celles-ci deviennent un peu plus elles-mêmes, connaissent un peu plus de joie dans leur vie et se lèvent le matin en disant: «Je recommence.» Là se trouve ma récompense.

Merci, Oriah Mountain Dreamer.

Jane Goodall

Vous m'avez conduit au centre du monde
et montré la bonté, la beauté et l'étrangeté
de la Terre verdoyante, l'unique mère.

BLACK ELK

La Terre est en même temps mère.
Elle est mère de tout ce qui est naturel,
mère de tout ce qui est humain.
Elle est la mère de tout,
car en elle est contenue toute semence.

HIDEGARDE DE BINGEN

En 1960, à l'âge de vingt-six ans, la Britannique Jane Goodall était invitée par le paléontologue Louis Leakey à entreprendre une observation sans précédent des chimpanzés dans la forêt de Gombe, en Tanzanie. En découvrant des ressemblances profondes entre les chimpanzés et nous, elle a révolutionné la vision élitiste que nous avions de notre espèce et a été reconnue comme l'une des grandes scientifiques de notre époque. De son expérience sont nés plusieurs livres, dont *Le cri de l'espoir*, une autobiographie spirituelle. Constatant la menace d'extinction des chimpanzés et la destruction écologique à l'échelle planétaire, Jane Goodall a quitté sa vie en forêt pour aller livrer un message environnemental et humanitaire partout sur la planète. Fondatrice d'un institut international portant son nom et dont le siège canadien se trouve à Montréal, elle voyage maintenant trois cents jours par an. Il se dégage de cette femme une transparence et une simplicité telles que celles-ci ne peuvent provenir que d'un lien intime et profond avec la dimension première de la vie. Elle partage ici avec nous son cheminement, son engagement et sa vision holistique de la vie.

Jane Goodall, d'où vient votre vocation ?

Enfant, j'étais fascinée par les animaux. Alors que j'avais un an et demi, ma mère avait trouvé des vers de terre dans mon lit. À quatre ans, je voulais savoir comment les poules pondaient leurs œufs et je m'étais cachée sans bouger pendant des heures dans le poulailler. Ma mère a toujours encouragé ma passion pour les animaux et cela a fait une grande différence dans ma vie. À dix ans, j'ai découvert Tarzan dans les livres et je suis tombée amoureuse de lui ! Je rêvais d'aller en Afrique et de vivre avec les animaux. Ma mère m'a dit : « Quand on veut vraiment quelque chose et qu'on travaille fort pour l'obtenir, on réussit toujours. » Après avoir été serveuse dans un restaurant pendant un certain temps, j'ai acheté un billet de bateau pour l'Afrique. Là, j'ai entendu parler de Louis Leakey et je suis allée le rencontrer. Il m'a alors offert d'aller observer les chimpanzés dans la forêt. Au début, ceux-ci ne me laissaient pas m'approcher d'eux et restaient cachés. J'étais désespérée parce que si je ne découvrais rien dans les premiers six mois, il n'y aurait plus d'argent pour la recherche et tout le monde dirait que cette entreprise était vouée à l'échec. Mais un jour, les chimpanzés sont apparus. Je les ai vus chasser et partager la nourriture ensemble. L'un d'entre eux, que l'on a baptisé David Greybeard, a démontré qu'il se servait d'outils et en fabriquait. Alors, *National Geographic* s'est intéressé à nous et le reste a suivi.

Ces années dans la forêt ont été les meilleures de ma vie. J'ai développé un contact intime avec ce grand pouvoir spirituel qui nous entoure. Dans la forêt, je me sens en paix avec moi-même et partie intégrante de la nature. En un sens, je me sens comme un grain de poussière totalement insignifiant. En même temps, ce grain de poussière peut entrer en contact avec le Grand Esprit et toute la vie. C'est extraordinaire. Souvent, seule dans la forêt, je peux m'y perdre complètement. Si je me sers de mots, ceux-ci expriment l'interdépendance de toutes choses, la beauté et la paix. Je ne me demande pas pourquoi je suis ici. Tout simplement, je suis. Étendue par terre en regardant le ciel ou assise en écoutant le chant des oiseaux, je ne suis pas consciente de mon corps. Je ne suis pas consciente d'être humaine. Je sens cette unité avec toutes choses. Lorsque l'on se retrouve avec une autre personne dans la forêt, on se sépare instantanément de la nature, car on ne peut s'empêcher de se sentir humain.

Vous avez une relation particulière avec les chimpanzés que vous observez. Vous en êtes très proche et avez même donné un nom à chacun d'entre eux, mais vous êtes aussi une scientifique. Comment intégrez-vous ces deux aspects en vous?

Au début, je n'étais pas une scientifique. Je me considérais plutôt comme une naturaliste. J'ai obtenu un doctorat parce que Louis Leakey m'y a encouragée. J'en suis contente, car je peux maintenant rencontrer tous ces «sarraus blancs» dans leurs laboratoires sans me sentir intimidée. Je n'ai jamais eu cette notion stupide de détachement par rapport aux sujets observés. On peut très bien observer un animal avec empathie et, au même instant, consigner le résultat de ces observations de façon objective. On le fait constamment avec d'autres humains. Récemment, j'ai rendu visite à un petit garçon mourant qui désirait me voir. Cette rencontre a été très émouvante. En même temps, je peux très bien décrire la manière dont ce petit garçon a ouvert les yeux en me voyant. Il a dit: «C'est Jane Goodall!» Puis il s'est blotti dans mes bras. Nous avons beaucoup pleuré. Je peux tout de même décrire objectivement tout ce qui s'est passé. Il n'est pas nécessaire de séparer les émotions de l'objectivité. Je suppose cela demande une certaine discipline.

Si la science n'avait pas séparé notre cœur de notre intelligence, plusieurs pratiques n'auraient pas vu le jour. Si nous avions le courage de nous rendre compte que la vie des cochons, des vaches, des moutons et des poules compte dans l'univers, que ces animaux sont dotés d'intelligence et d'émotions, nous ne pourrions pas manger de la viande provenant de fermes industrielles ou des œufs de poules confinées dans des batteries de ponte. Les gens portent des œillères. Ils disent : « Je ne peux pas penser à cela. Je suis trop sensible. » Ils ont peur de la vérité, alors ces pratiques continuent. En général, les gens rendent grâce pour la nourriture reçue. Ils remercient Dieu de leur avoir donné un animal à manger, mais ils ne prient pas pour l'animal. Chez les peuples autochtones, c'était très différent : ils chassaient pour vivre. Après avoir tué un animal, ils priaient pour son esprit. Ils le remerciaient de les aider à vivre. Je me suis toujours sentie proche des peuples autochtones. Pour ma part, j'ai cessé de manger de la viande en apprenant l'existence de l'agriculture intensive.

Au temps de l'esclavage, on croyait qu'une frontière démarquait clairement les Occidentaux des Africains ou des Chinois. Maintenant, on sait bien que ce n'est pas le cas. De la même manière, il n'y a pas de frontière claire entre les autres espèces et nous. Même en croyant que nous sommes les plus importants sur la planète, nous devons nous rendre compte que notre influence sur l'environnement compromet totalement notre avenir. Avant de prendre une décision, les peuples autochtones pensaient aux sept générations futures. Si nous pensions ainsi, nous agirions autrement.

Dans tout cela, quel est le sens de la vie pour vous ?

Je ne connais pas la raison de l'évolution et de l'Univers. Il est plus facile de dire pourquoi je suis ici, en tant qu'individu. Je suis ici pour répandre un message avec toute la passion dont je suis capable. Chacun d'entre nous peut faire une différence pour la planète, mais nous n'avons plus beaucoup de temps. Nous avons démesurément abusé de la nature et nous continuons de le faire. Nous abusons aussi horriblement d'autres humains, même au cœur de ce qu'on appelle la civilisation occidentale. Certains vivent sous le seuil de la pauvreté, d'autres souffrent de discrimination. C'est très triste. Je suis terrifiée par l'administration Bush en ce moment. Il y a cette quête du pétrole à tout prix, on prépare la guerre et on fait de la propagande à cet effet. La menace nucléaire est particulièrement révoltante et irresponsable. En maintenant les gens dans un état de peur, on peut faire ce qu'on veut avec eux.

J'ai foi en l'avenir, mais nous devons arriver à créer une masse critique de gens ayant les mêmes valeurs, pensant aux générations futures avant de jeter des ingrédients chimiques synthétiques dans l'environnement, prêts aussi à payer un peu plus pour des produits organiques et n'ayant pas été testés sur les animaux. Nous pouvons changer beaucoup de choses en achetant des produits dont la fabrication respecte une certaine éthique. Ce mouvement doit provenir de l'électorat. Je crois profondément qu'il en tient à chacun d'entre nous d'agir : sans nous, les politiciens ne feront pas grand chose, car ils veulent avant tout être réélus. Il faut aussi parler aux législateurs, aux parents, aux professeurs et à tous ceux dont dépend l'avenir des prochaines générations.

Ainsi, nous sommes dans cet hôtel en ce moment et c'est une cause de souffrance pour moi. J'y vois un symbole du luxe à outrance dans lequel baigne la société. Cela dit, on y utilise les mêmes draps et les mêmes serviettes pendant deux ou trois jours, comme à la maison ; toutes les lampes et les appareils de télévision n'y sont pas allumés comme dans les hôtels américains. Le message commence à être entendu, mais il doit résonner encore plus fort. En Afrique, on se bat pour la survie et on rêve de richesse. En même temps, certains Africains sont très concernés par l'environnement. On retrouve le même phénomène en Chine où les jeunes, en particulier, veulent agir de manière différente. Ils se rendent compte des erreurs commises en Occident.

Les enfants sont très importants pour vous, n'est-ce pas ?

Ce sont eux qui m'animent le plus en ce moment. Partie intégrante de l'Institut Jane Goodall, le programme éducatif *Roots & Shoots* pour les jeunes est établi dans soixante-dix pays. Partout, les enfants sont les mêmes. En eux réside le désir de construire un monde meilleur. Si on peut encourager leur désir, les aider à comprendre les problèmes et les guider avec sagesse, ils développent une grande énergie et une tout aussi grande détermination. Avec le programme, ils apprennent sur le terrain. Hier, j'en ai rencontré quelques-uns à Sudbury, dans le nord de l'Ontario. J'ai visité une rivière qu'ils avaient nettoyée et dans laquelle ils avaient libéré des truites. La fierté de ces enfants était évidente.

J'ai été nommée messagère de la paix par le secrétaire général des Nations Unies, Koffi Annan. Je peux maintenant aller dans les soixante-dix pays où cette organisation offre un soutien pour les jeunes. Avec *Roots & Shoots*, nous y étions déjà, mais nous n'avions pas assez d'argent pour traduire notre matériel dans les différentes langues, ce qui est maintenant possible grâce aux Nations Unies. Il y a aussi des programmes dans les camps de réfugiés. Je pense à l'espoir pouvant être apporté à ces enfants qui ont tout perdu. Récemment, je rencontrais des jeunes dans une école secondaire alternative au Connecticut. À ces victimes d'abus familial et anciens décrocheurs maintenant membres du programme *Roots & Shoots*, j'ai dit : « Vous avez connu l'enfer. Vous pouvez comprendre les jeunes réfugiés.

Vous pouvez les aider à retourner à l'école et à croire en l'avenir.»

À la suite des événements du 11 septembre 2001, il me semble que le travail que j'ai accompli depuis des années commence à porter fruit. Nous devons libérer un pouvoir bienfaisant qui soit plus fort que celui du mal. J'ai l'impression qu'il y a une destinée dans ma vie, quelque part. J'ai vécu mon enfance durant la Deuxième Guerre mondiale. Nous n'avions pas beaucoup d'argent. Si j'étais née riche, comment pourrais-je rencontrer tous ces enfants d'Afrique rurale ou d'ailleurs et les inviter à réaliser leurs rêves? Dans tout cela, je ne fais que ce que ma mère m'a enseigné: mon possible. Je deviens très en colère quand un enfant fait de son mieux et que ses parents lui disent: «Ton possible, ce n'est pas assez.» C'est terrible de dire cela.

Vous qui êtes en contact intime avec la vie dans tous ses aspects, comment voyez-vous la mort?

Je crois que si nous avons une âme, les animaux en ont une aussi. Je crois qu'en chaque créature vivante se trouve une étincelle du grand pouvoir spirituel. Nous, les humains, avec notre remarquable intelligence et notre langage sophistiqué, nous nous rendons compte que notre temps sur la Terre est limité. Nous nous demandons pourquoi nous sommes ici et pourquoi nous devons mourir un jour. Les animaux ne se posent pas toutes ces questions.

Ma propre mort ne me dérange pas du tout. J'ai hâte de vivre cette expérience. Robert Browning a écrit ce merveilleux poème dans lequel il dit à la mort de ne pas mettre un bandage sur ses yeux, qu'elle est la dernière grande aventure. C'est ainsi que je vois la mort: comme une grande aventure. Je ne crois pas qu'elle soit la fin de cette étincelle spirituelle en nous.

Voulez-vous ajouter quelque chose avant de nous quitter ?

Oui. Dans tout cela, n'oubliez pas le plus important : il revient à chacun et chacune de nous de faire quelque chose pour la Terre.

Merci, Jane Goodall.

Table des matières

AGMV Marquis

MEMBRE DE SCABRINI MEDIA

Québec, Canada
2003